KB096237

지금 내 아이가 자폐가 아닐 수도 있다.

이도훈

지금 내 아이가 자폐가 아닐 수도 있다.

발행	2024년 07월 15일
저자	이도훈
디자인	어비, 미드저니
편집	어비
펴낸이	송태민
펴낸곳	열린 인공지능
출판사등록	2023.03.09(제2023-16호)
주소	서울특별시 영등포구 영등포로 112
전화	(0505)044-0088
E-mail	book@uhbee.net
ISBN	979-11-94006-30-5

www.OpenAIBooks.com

지금 내 아이가
자폐가 아닐 수도 있다.

이도훈 지음

목 차

의심하지 말자. 아이는 노력하고 있다.

아이의 답답함을 해결해 줄 방법은 없을까?

이제부터는 자폐라서 그렇다고 단정짓지 말자.

마무리

머리말

저는 의사가 아닙니다. 공부도 잘하지 못합니다.

다만 운이 좋았습니다. 다양한 관점으로 접근 해 볼 수 있는 기회가 많은 곳에서 근무하게 되어 긍정적인 관점이 많아 질 수 있었습니다.

이 책은 전문가의 지식보다는 다년간의 경험과 시행 착오를 통해 얻어낸 통찰과 아이들을 바라보는 저만의 관점을 공유합니다.

건강하게 성장하기 위한 핵심은 양육자의 건강한 시선과 아이에 대한 이해입니다.

부모, 보호자, 교사 그리고 모든 양육자에게 자폐 스펙트럼 장애와 함께 성장하는 방법 및 아이를 바라보는 긍정적인 관점을 제시하며, 부정적인 관점을 수정하여 건강하게 성장 하는 아이가 많아졌으면 합니다.

저자 소개

이도훈은 언어 발달에 어려움을 겪는 아이들의 답답함을 해결해주는 통합발달전문가입니다.

13년 동안 이 분야에서 일하며, 그는 언어적 접근에만 의존하지 않고, 놀이, 감각, 운동, 신경과학, 심리학, 그리고 가정내 양육 방식 개선 등 다양한 통합적 접근 방식을 통해 아이들이 말할 수 있도록 도왔습니다. '무발화 가이드'의 저자인 이도훈은 아이들이 자신들만의 방식으로 세상과 소통할 수 있게 하는 데 큰 열정을 가지고 있습니다. 그는 아이들의 가능성을 믿고, "자폐 아이들은 원래 그렇다"는 고정관념을 깨는 일에 앞장섭니다.

이 책을 통해, 아이들과 가족들에게 새로운 희망과 방법을 보여주려고 합니다.

아이는
다른 어려움을 갖고
있을 수 있다.

시작은 자폐가 아닐 수도 있었다.

지금 이 책을 접하시고 있는 분들 대부분은 아이가 눈 맞춤이 되지 않고, 불러도 보지 않고, 울기만 울고, 짜증만 내고, 이상한 행동만 반복하고, 불빛만 바라보고 멍하게 있고 이런 것들로 자폐라고 생각을 하시거나 의심하고 있으실 것이다.

감히 말하지만 이 책은 작지만 미친 책이 될 것이다. 지금까지 생각해 보지 못한 접근일 것이다.

이 책에 내용은 강산이 변할 동안 내가 아이들을 언어적으로만 접근하는 게 아닌 언어, 인지, 놀이, 감각, 심리 등 통합적으로 접근하며 깨닫게 된 것이며, 실제 현장에서 아이들을 바라보는 해석들이다. 해석이 제대로 되면 아이의 문제는 너무나 쉽게 해결이 된다.

지금부터 인터넷에 떠도는 잘못된 이야기들을 바로 잡아드리겠다.

시작하기에 앞서 먼저 부탁드립니다.

이 책을 읽으면서,

내 아이는 해당되지 않을 것이라고, 생각하지 마세요.

내 아이는 원래 자폐라서 해당되지 않을 것이라고, 생각하지 마세요.

내 아이는 나이가 많아서 해당되지 않을 것이라고, 생각하지 마세요.

내 아이는 희망이 없다고 좌절하지도 마세요.

지금부터 알려드릴 것들은 많은 아이들에게 적용되는 방법과 해석이다.

못 믿겠다면 지금이라도 덮고 버려도 좋다.

아이의 문제들에 대한 해결 방법은 무조건 방법이 있다. 아직 해결이 안
되는 것은 우리가 문제로만 바라보기 때문에 해결이 안 되는 것일 수도
있다.

아이가 진짜 이런 행동을 할 수밖에 없는 원인을 찾아줘야 한다.

그리고,

아직도 해결이 안 되는 것들은 안 되는 게 아니다.

우리가 아직 방법을 찾지 못하였을 뿐인 것.

안되는 것은 없다 끝까지 찾고자 하면 반드시 방법은 있다.

나는 현재도 현장에서 이러한 편견을 깨면서 부모님과 아이들에게 더
나은 삶을 선물해 주고 있다.

이 책을 마주하게 될 부모님들은 아이를 바라볼 때 누가 뭐라고 해도 부
정적인 해석보다 긍정적인 해석이 더 많아지길 바란다.

인터넷에 너무나 많은 정보로 인해 장애가 아닐 수도 있었지만, 장애를
얻게 된 안타까운 아이들과 지금도 잠 못 자며 이 치료실 저 치료실 정

신없는 하루를 보내는 부모님들에게 앞으로 내가 들려드릴 이야기들이 아이의 성장 및 양육에 조금은 도움이 될 수 있기를 간절히 바란다.

당연한 것은 없다.

우리는 종종 아이를 키우면서 당연시 되는 것들이 많다. "우리 아이는 장애가 있으니 변화가 어려워", "나이가 많아서 고치기 힘들 거야", "문제 행동이 심각하니 약물 치료가 최선의 방법일 거야" 등. 하지만 정말 그럴까?

아이를 대할 때 우리가 가장 경계해야 할 것은 바로 이런 '당연한 것'들이다. 아이의 행동을 겉으로 드러난 모습만 보고 단정 짓는 건 위험하다. 그 이면에는 우리가 알아채지 못한 아이의 마음이 숨어있을 수 있기 때문이다.

아이가 산만하다고 해서 무조건 약을 먹이는 게 당연한 방법은 아니다. 그보다는 "왜 아이가 저런 행동을 보일까?", "내가 어떻게 하면 아이의 감정을 건강하게 표현할 수 있을까?"를 먼저 고민해봐야 한다. 아이의 입장이 되어 생각하려 노력하는 것이다.

물론 이 과정이 쉽지만은 않을 것이다. 때로는 전문가의 도움이 필요할 수도 있다. 하지만 아이를 이해하려는 마음 자체를 포기해서는 안 된다. 아이의 행동을 관찰하고, 소통하려 노력하며, 그 과정 속에서 아이를 진정으로 이해하려 애쓰는 것. 양육의 핵심은 바로 여기에 있다.

아이는 나이가 몇 살이든, 장애가 있든 없든 모두 변화할 수 있는 가능성을 가지고 있다. 다만 그 변화를 이끌어내는 건 양육자인 우리의 몫이다. '우리 아이는 8살이 넘었으니 안 변해'와 같은 생각들을 버리고, 항상 아이의 입장에서 생각하려 노력해보자.

때로는 아이의 잘못된 행동을 멈추기 위해 단호한 조치가 필요할 수도 있다. 하지만 그에 앞서 왜 아이가 그런 행동을 하는지 먼저 이해하려 해야 한다. 그래야만 문제의 근본적인 해결이 가능하니까.

양육에 있어 당연한 것은 없다. 아이마다 모두 다른 개성과 성향을 가지고 있고, 같은 아이라도 시기에 따라 변화한다. 그렇기에 우리는 항상 열린 마음으로 아이를 바라보고, 편견과 고정관념을 버리고, 아이의 마음을 읽으려 끊임없이 소통하는 것. 그것이 바로 진정한 양육의 자세가 아닐까?

우리 모두 완벽한 부모가 될 순 없다. 하지만 노력한다면, 지금보다 조금씩 나은 양육자가 될 순 있다. 포기하지 말고 오늘도 우리 아이의 마음을 이해하기 위해 노력해보자. 그 과정이 쉽지는 않겠지만, '당연한 것은 없다'는 마음가짐 하나만으로도 아이와의 관계는 많이 달라질 수 있을 것이다.

반짝이는 것만 바라보고 있어요.

자폐 아동들에게서 종종 발견되는 행동들이 있다.

반짝이는 것만 바라본다든지,
고개를 위아래로 흔든다든지,
옆으로 누워 장난감 바퀴를 계속 돌린다든지,
손을 흔들며 쳐다본다든지,
밝은 불빛을 계속 쳐다본다든지,
TV를 볼 때 정면이 아닌 옆으로 보는 모습들 말이다.
이 행동들의 공통점은 바로 "눈으로 무엇을 바라보고 있다"는 점이다.

이런 행동들을 보면서 저는 의문이 들었다. "혹시 이 아이들이 시각적 어려움을 겪고 있는 걸까?" 자폐증이 원인이라는 생각에서 벗어나, 만약 눈이 잘 보이지 않는다면 이런 행동들이 나타날 수 있겠다는 가정을 해보았다. 그리고 자료를 찾아보니 시각에 어려움이 있는 아이들의 행동 특성과 유사한 점이 있었다.

이런 행동들은 자폐 아동들뿐 아니라, 시각적 어려움을 겪는 일반 아동들에게서도 나타날 수 있다. 의심되는 행동들이 있다면 사시 진료를 받아볼 필요가 있다.

우리 아이 사시 진료 필요한 경우

한쪽 눈이 코나 귀 쪽으로 향해 있다
눈의 초점이 풀려 보인다
햇빛 등 밝은 빛을 보면 한쪽 눈을 찡그린다
눈의 피로나 두통을 호소한다
사물을 볼 때 머리를 돌리거나, 턱을 치켜들고, 고개를 숙인다
무언가 볼 때 머리를 한쪽으로 갸우뚱하게 기울인다
눈을 자주 깜빡이며, 비빈다
피곤하거나 멍하게 볼 때 눈이 밖으로 돌아간다
나이가 들며 눈동자가 돌아가는 빈도·시간이 길어진다

위의 특징들이 관찰된다면 우리 아이의 시각 발달을 주의 깊게 살펴볼 필요가 있다.

하지만 이를 근거로 "아이들이 쳐다보면서 하는 문제행동들이 모두 시각적인 문제에서 기인한다"라고 단정 짓기는 어렵다. 다만 이 행동들이 단순히 자폐 특성으로만 비롯된 것이 아니라, 시각적 문제가 행동 특성의 원인일 수 있다는 가능성을 염두에 둘 필요가 있다는 점을 강조하고 싶다.

나는 이 행동들이 아이들이 겪는 어려움을 표현하는 방식이라 생각하고, 수업 방식을 바꿔보기로 했다. 마치 시각장애 아동을 가르치듯, 시각에 의존하는 방식은 최소화하고 아이들이 잘하는 감각을 활용하는 방향으로 수업을 진행했다. 그랬더니 아이들이 조금씩 변화하기 시작했다. 스스로의 방식으로 집중하려 노력하고, 어떤 아이들은 보는 방식을 터득하기도 하였고, 어떤 아이들은 돋보기나 안경의 도움 받게 하여 각자에 맞는 다양한 방법들을 활용하면서 학습에 더 집중 할 수 있게 되었다.

물론 모든 아이가 시각 검사에서 문제가 발견되는 건 아니었다. 하지만 수업 중 시각적 어려움이 있을 것이라 짐작되는 순간이 보였다.
예를 들어, 물건을 집는데 더듬거리는 행동을 한다던지, 또렷하게 바라보는 눈빛이 흐려져보인다던지, 쳐다보려 노력은 하는 것 같은데 주변시로 본다던지, 장소가 바뀔 때마다 긴장도가 높다던지, 잘 부딪히고 다닌다던지, 멀리 있는 물체를 볼 때 고개를 기울이고 눈썹을 찌푸리는 아이 같은 경우등이 있다.
시각 문제가 발견 되지 않을 경우에도 발견을 하지 못한것이지 분명 아직은 설명할 수 없는 어려움이 있다로 판단하고, 시각 외의 다른 감각에 의존하는 방식으로 수업을 진행하며 아이들이 보다 편안하게 소통 할 수 있도록 도와주고 있다.

이 경험을 통해 나는 깨달았다. 자폐 아동의 행동 문제를 단순히 '자폐니까 그렇다'고 치부할 게 아니라, 그 이면의 원인에 주목해야 한다는 사실을. 눈에 띄는 증상에 급급할 게 아니라 근본적인 어려움이 무엇인지 살펴야 한다는 것을 사실 아이들의 시각 문제를 뒤늦게 알게 돼 속상했던 적이 많았다. 자폐라는 딱지를 붙이고 행동 교정에만 매달리던 제 자신이 부끄러웠다. 하지만 이제는 다르다. 자폐증의 증상은 그 자체가 문제가 아니라, 다양한 원인에서 비롯된 결과라는 인식을 가지고 있다. 앞으로는 근본 원인에 집중하는 관점의 전환이 필요하다.

자폐 아동을 바라보는 우리의 시선을 바꿔야 할 때이다. 아이의 행동 이면에 어떤 어려움이 있는지 공감하고 이해하려 노력해야 한다. 겉으로 드러난 모습에 주목하기보다, 내면의 욕구와 감정에 귀 기울이는 자세. 바로 그것이 자폐 아동과 더불어 살아가는 우리에게 필요한 자세라고 생각한다.

화가 나면 자해를 해요.

아이는 지금 이야기하고 있다.

"엄마 나 지금 너무 답답해.
지금 뭐라고 말로 표현하고 싶은데 뭐라고 표현해야 하는지 모르겠어.

그런데 내가 화내는 데는 이유가 있어.

자해 한다고 내 손잡고, 재제만 하지 말고, 내가 하고 싶은 말을 누가 나 대신 이야기 좀 해줘."

내가 만나 본 자해하는 아이들 대부분은 인지적으로 나쁘지 않은 아이들이 많이 있었다.
아는 만큼 답답함이 더 크다라고 표현할 수도 있겠다.
그런데 앞서 말하는 아는 만큼이라는 것이 아이 기준에서다.
아이 기준에서 뭔가 상황이 불안하다 싶을 때 자해를 한다거나,

지금 관심을 끌고 싶을 때 자해하는 상황도 있고,
부모님은 도와주고 있지만 내 마음에 안 내킬 때
하기 싫은데 계속 시키니 하는 경우도 있다.

자해를 하는 이유는 다양하다.

자해를 하는 순간들은 사실 언어적 표현을 했어야 하지만 아이는 말하는
방법을 몰라서 자해하고, 말을 어눌하게 하다 보니 상대가 못 알아들어
서 자해한다거나, 상황에 맞는 대처 표현을 말할 줄 몰라서 자해를 한다.

그런데 자해를 더 심하게 만드는 경우는 아이의 진짜 마음을 모른 채 진
행하는 이론적인 대처 방법이다.
이론적인 대처 방법으로 인해 자해가 진짜 심해진 아이들에 대해서 알
아보자.

자해가 나타나면 보편적으로 부모님들께서 많이 사용해 보는 방법은 3
가지 이다.

양육자가 당황하며 아이 손을 잡고, 행동을 제재하며 안돼!만 이야기한다.
아이가 상처받을까 혼은 낼 수 없으니 재제는 안 하고, 따뜻하게 화났
어? 속상해? 라고 말만 들려준다.
아이가 자해를 하는 것에 대해 무시하고, 관심을 두지 않는다.

첫 번째 방법은
양육자가 당황하며 아이 손을 잡고, 행동을 제재하며안돼만 이야기한다.

아이가 원하는 것은 당장의 앞에 일어난 답답함 해결이다. 답답함이 무엇인지 꼭 생각하여 해결책을 알려줘야 한다. 아이의 답답함에 대한 해결책은 알려주지 않은 채 행동만 재재하다면 아이의 자해는 더 심해질 수 있다.

실제 사례로 예를 들어보면
한 아이가 있었다. 이 아이는 퍼즐 하는 것을 좋아한다. 하지만 퍼즐을 할 때마다 자해를 한다는 것이다. 그럴 때마다 양육자는 앞으로 자해가 심해질 것을 걱정하여, 무조건 안 돼! 안돼! 때리지 마! 그러면 안 돼! 어허! 머리 때리지 마! 하고 아이가 멈출 때까지 반복하였다고 했다.
왜 하는지 이유를 분석하다 보니 이유는 너무 간단하였다.

지금부터는 아이의 입장이다.
퍼즐을 재밌게 끼우고 있었는데 하나가 없어졌다. 아이가 없어진 것을 이야기할 줄 모르니 없어진 걸 표현하기 위해 자해하는 듯한 행동을 하기 시작했는데 퍼즐 없어진 것 찾아 줄 생각은 안 하고 계속 안 된다고만 이야기하네. 그냥 퍼즐이 하나 없어졌어? 내가 찾아줄 게. 이 한마디로 나를 공감해 준다면 멈출 수 있었는데... 이게 아이가 자해를 하게 된 단순한 이유다.
시작에 이유는 단순하였다.
하지만 혼이 나는 것 같아 퍼즐 없어진 이유는 중요하지 않고, 혼이 나니 화가 나 자해를 더 심하게 할 수밖에 없었다.

두 번째 방법은
제재는 안 하고, 따뜻하게 화났어? 속상해? 와 같이 공감하는 이야기만

했다.

대부분 이 방법으로 초기에는 멈출 수도 있다. 그런데 더욱더 심해지고 있다면 아이가 진짜 원하는 것에 관해서는 이야기 못 해주고, 화났어? 속상해? 울고 싶어졌어?와 같은 형식적으로 아이가 원하지 않는 이야기만 해서 자해가 계속될 수도 있다.

또 두 번째 이유와 비슷하나 다른 이유로는 이런 사례도 있었다.
아이가 울기 시작하면 양육자인 내가 불안해져서 아기 때부터 40개월인 현재까지 울음을 빨리 멈추게 하기 위해 울음이 시작됨과 동시에 다른 이야기는 없이 아이가 가장 좋아하는 것을 줬다고 한다. 그러면 빨리 울음을 그쳤다고 한다. 하나 성장하면서 아이는 어떤 것이든 원할 때마다 울음은 더 커지고, 자해까지 동반하게 되었다고 한다. 이제는 울음의 중요성에 대한 자료를 보고, 아이가 울음을 바로 멈추게 하기보다는 공감하는 언어를 많이 쓰고 있다고 했다.

지금부터는 아이 입장이다.
어렸을 때는 나의 불편함을 전달하기 위해 울었는데, 그때마다 불편함은 해결해 주셨으나 "배고파서 엄마 불렀구나~ 응가해서 엄마 불렀구나~"와 같은 내가 어떤 불편함인지 설명을 해주시진 않으셨다.
그러다 보니 나는 울 때도 빨리 문제 해결되고, 내가 화를 내도 빨리 문제 해결해주고, 자해하면서 울어도 빨리 해결해 주셨다. 부정적인 행동을 하니 문제가 해결되는 것을 많이 경험하였다. 그래서 나는 하나의 결론을 얻었다.

"자해를 하면 내가 원하는 것이 해결이 되는구나"라고..

이 사례는 아이가 착각을 하는 경우다.

세 번째 방법은
아이가 자해하는 것에 대해 무시하고, 관심을 두지 않는다.

이 방법을 적용해보실 때는 꼭 자해하는 것에 대해서만 무시, 무관심하
더라도 다른 부분에서는 반응을 잘해주셔야 한다.
평상시에도 아이에게 들려주는 말수가 적거나, 긍정적인 반응을 잘 하
지 않는다면 세 번째 방법으로 인해 여러가지 다양한 상황에서도 아이
가 놀이 방법 또는 감정 표현 방법으로 습관처럼 자해를 하게 될 수도
있다.
무시보다는 차라리 의미를 붙여주는 게 더 좋다. 띠용~ 했어, 콩콩콩 했
어~ 하고 말이다. 의미가 생기면 다른 것으로 전환하는 게 쉬워진다.

세 번째 방법을 잘못 사용하였을 시 아이 입장이다.
내가 자해해도 말리는 사람도 없고, 뭐라고 하는 사람도 없고, 그냥 혼자
놀아야지
아 심심해~ 기둥에 부딪혀보니 재밌는 소리가 나니 저기도 부딪혀봐야
지~ 여기도 부딪혀봐야지
이 상황은 아이가 놀이로 자해를 선택한 것이지만 똑바로 이야기하자면
그냥 놀이다. 머리를 부딪혀서 소리 들어보는 놀이. 다만 도구를 사용하
지 않고, 머리를 사용했다는 이유로 자해로 보여지는 행동이다.
아이에게 어떻게 반응하느냐에 따라 아이의 상황은 변화할 수 있다.

자해를 해결하는 방법 중 가장 잘 통하는 방법 한 가지를 소개하겠다.
사실 제재도 필요하고, 무시도 필요하고, 따뜻하게 말하는 것도 다 필요하다. 하지만 아이들이 살아오는 환경, 아이의 성격 등 상황이 다르다 보니 어떤 방법이 내 아이한테 가장 맞는가에 대해 한 아이만 키워본 부모님이 방법을 찾는다는 게 더더욱 어려우실 것이다. 당연하다. 이것은 경험 많은 전문가의 도움을 구하는 것이 좋을 듯하다.

나는 이 방법으로 대부분의 자해 행동들을 해결한다.
제재하기 전, 무시를 하기 전 이것부터 생각해 보시길 바란다.
아이가 진짜 원하는 것은 무엇일까?
장난감을 내려달라고, 그러는 것일까?
퍼즐을 끼우는데, 잘 안 끼워져서 그러는 것일까? 와 같은 아이의 입장이 되어 생각을 해보는 것이다. 생각이 끝났으면 그걸 그대로 전달해 보는 방법이다.

아이의 입장들이 생각이 났으면 이렇게 전달해 보자.

아~장난감 내려달라고~ 아빠가 내려줄게~~ 여기있어~
퍼즐이 잘 안 끼워졌어~아빠가 도와줄게
아~ 이거 해보고 싶었어? 그럼 해봐~ 아빠가 도와달라고~ 그래 도와줄게~~
아~ 이거 끼워보고 싶었어? 그럼 끼워봐~
아이는 상황에 불편함을 해결하기 위해 자해를 선택했을 수도 있다. 하지만 아이의 불편함에 원인에 대해서 빨리 이야기로 들려준다면 아이의 자해는 굳이 하지 않아도 되는 행위가 된다.

아이가 생각 할 때 자해를 굳이 안 해도 부모님에게 눈빛으로 이야기해도 알아들이 줄 거고, 어눌한 말로도 알아주실 것이니 말이다.

글을 쓰다 보니 특별했던 사례가 생각이 났다.

이 사례는 진짜 드물다. 이와 비슷한 사례는 13년동안 딱 2명 봤다.
내가 근무하던 곳 대표님이 수업하던 아이였는데
아이 상황은 뇌 병변이 있었고, 다발성 경기를 가지고 있었다. 수시로 자기 머리, 얼굴을 계속 때려서, 얼굴에는 상처가 머리에는 혹이 항상 있었고, 그 작은 머리에 보호헬멧을 착용하여 수업을 진행하던 아이가 있었다.
이 아이는 특이한 점 두 가지가 있었는데
- 상처가 유난히 많은 날, 유난히 많이 자해한 날 경기가 심했었다. 수업 중에도 자주 나타날 정도로 심했었다.
- 매번 때리던 곳만 때린다.

결론부터 이야기하자면 이 아이의 자해 행동에 이유는 "통증"이었다.

편두통 그 이상의 통증이 아니었을까 생각해 본다.
통증이라고 생각하게 된 것은 매번 때리는 곳이 아픔이 있어서 때리는 거라면?으로 접근했다.
근데 왜 때려라는 의문이 생기신다면? 두통이 있을 때 머리를 때려보시라 잠깐이지만 머리가 시원해짐이 느껴질 것이다. 아이는 본인만에 해결 방법을 찾은 것이다.
그래서 평상시 수업 때마다 순환을 원활하게 도와주는 조치를 하였다.

순환을 원활하게 해주는 조치를 해주니 아이는 점차 자해하는 게 줄게 되었고, 상처 또한 많이 없어지게 되고, 경기의 빈도수도 줄어드는 게 느껴졌었다.

문제행동에 집중하지 않고, 근본 원인 찾기에 집중하여 해결하게 된 사례다.

자해는 아이가 겪는 어려움과 불편함을 표현하는 하나의 방식일 수 있다. 하지만 아이가 언어로 자신의 감정과 욕구를 잘 표현하지 못할 때, 자해라는 부정적인 행동으로 드러나게 되는 것이다.

앞서 말한 것처럼, 자해의 원인은 정말 다양하다. 불안감, 관심 끌기, 원하는 것을 얻기 위한 시도, 통증의 표현 등 그 이유가 제각각이다. 그래서 자해 행동에 대처할 때는 행동 자체보다는, 그 속에 숨어 있는 아이의 진짜 욕구와 감정을 이해하려 노력하는 게 중요하다.

그런데 안타깝게도 많은 부모님들이 자해에 대해 피상적으로 대응하곤 한다. 앞서 언급한 것처럼 무조건 혼내기, 겉으로만 위로하기, 아예 무시하기 같은 방식들 말이다. 하지만 이런 방법들은 아이의 진짜 마음을 외면한 채 겉으로 드러난 문제만 덮으려 하는 거라 오히려 역효과를 낳을 수 있다.

퍼즐 조각을 잃어버려 자해하는 아이의 예를 보면, 아이의 행동 이면에는 도움을 요청하는 절실함이 담겨 있었다. 그런데 그 마음을 읽어주는 대신 오로지 자해 행동만 집중해서 못하게 막으니 아이는 더 크게 좌절하고 자해가 심해질 수밖에 없었다.

또 어릴 때부터 울음에 즉각적으로 반응해 온 아이의 경우에서 볼 수 있듯이, 피상적 위로가 오히려 자해를 악화시킬 수 있다. 겉으로는 달래 주는 것 같지만 사실 아이의 진짜 욕구는 외면당하고 있으니까. 이런 식으로 대응하다 보면 아이는 자해가 자신의 욕구를 해결하는 수단이 된다고 착각하게 될 수도 있다.

자해 상황에서 아이의 입장이 되어 생각해 보고, 그 행동 이면에 담긴 진짜 욕구가 무엇인지 파악하려 노력하는 건 정말 중요하다. 내가 퍼즐을 찾아 주고 함께 맞추어 주었던 것처럼 말이다. 그렇게 아이의 마음에 귀 기울이고 공감해 줄 때 아이는 스스로 자해의 늪에서 빠져나올 수 있게 될 것이다.

이렇듯 자해 아동을 대할 때 우리에게 정말 필요한 건, 행동 이면의 마음을 읽으려는 노력과 아이의 입장에서 바라보는 공감의 자세다. 표면적 현상에 급급할 게 아니라 아이 내면에 이야기 하고 있는 욕구와 감정에 귀 기울여야 한다. 그럴 때만이 우리는 아이와 진정한 마음의 교감을 나눌 수 있고, 자해라는 악순환의 고리를 끊어낼 수 있을 것이다.

나의 경험과 깨달음이 이 글을 읽는 많은 부모님들과 선생님들에게 자해 아동을 대하는 근본적인 자세에 대해 깊이 성찰해 보는 계기가 되었으면 좋겠다. 우리의 작은 인식의 전환이 아이들의 아픔에 공감하고 아이들에게 다가가는 첫걸음이 될 수 있기를 간절히 바란다.

TV만 보면 아무것도 안되요.

지금 우리 아이가 TV를 보고 있다면, 당장 보고 있는 TV를 꺼보세요. 어떻게 반응하는가요? 꺼졌다고 부모님을 쳐다보나요? 아니면 그냥 다른곳을 가나요? 짜증을 내나요?

위의 3가지 반응 중 한가지라도 나왔다면 아무것도 안되는 것이 아니다. TV만 보면 아무것도 안되는게 아니라, TV를 보고 있는데 부모가 불렀을 때, 부모가 뭐라고 말을 할 때 아이는 어떻게 표현해야 하는지 방법을 모르겠다가 더 정확한 해석이 될 것 같다.

아이 입장에서 표현하자면 "내가 집중하고 있을 때 다른 것에 관심을 둘 이유가 없다"이다.
이는 아이의 집중력이 좋다는 것을 보여주는 장점이기도 하다.

다만 이런 행동의 이면에는 동시 신경 발달이 늦거나 영유아 청력 저하와 같은 신경학적 문제가 있을 수도 있을 수도 있다. 그런 경우라면 병원 검진을 통해 정확한 원인을 찾고 근본적인 원인 문제를 해결하는 것이 우선뇌어야 할 것이다.

그런데 만약 신경학적인 문제가 없는데도 반응이 없는 아이들이라면 우리가 아이의 관심을 끌 수 있는 방법을 고민해볼 필요가 있다.
예를 들어 TV를 껐다 켜면서 아이의 반응을 살펴볼 수 있다. 아이가 TV에 시선을 고정하고 있다면, "TV가 꺼졌네? 엄마가 다시 켜줄까?"라고 말을 걸어보라. 아이가 다른 곳으로 가지 않고 계속 TV를 보고 있다면, 그것은 아이가 무언의 긍정 신호를 보내는 것이다. 그 반응에 호응하며 TV를 다시 켜줘야한다.
또 다른 방법으로는 TV 화면을 가려보는 것이다. "화면이 안 보여? 엄마가 비켜줄게"라고 말하면서 아이의 시선을 유도하고 소통의 기회를 만들어보자.

여기서 중요한 건, "네가 엄마 말을 들어야만 TV를 볼 수 있어"라는 식의 강요나 거래가 아니라는 것이다. "TV는 당연히 같이 볼 건데, 엄마 말도 한번 들어봐"라는 자연스러운 태도로 다가가는 게 필요하다.

우리는 종종 아이의 행동을 피상적으로 판단하고 경직된 잣대로 문제 행동이라 규정하곤 한다. 하지만 정작 중요한 건 행동 이면에 담긴 아이의 마음을 읽으려 노력하는 것이다.

TV에 과도하게 몰입하는 모습 이면에도 아이의 집중력이라는 장점이 있음을 발견할 수 있어야 한다.
아이가 자폐 증상을 보인다는 걱정에 사로잡혀 정작 중요한 것을 놓치기보다는, 먼저 신경학적 이상 유무를 확인하고 아이에게 적절한 반응 방식을 알려주는 것도 좋은 방법이 될 수 있다.

물론 이것이 쉬운 과정은 아니겠지만, 함께 노력해 나간다면 우리 아이에게 더 나은 성장의 기회를 마련해줄 수 있지 않을까?

지금 아이에게
중요한 것은
무엇인가?

아이가 매번 갖고 놀던 것만 가지고 놀아요.

아이가 특정한 놀잇감에만 집중해서 노는 모습을 보면 부모님들은 종종 걱정하곤 한다. '다른 장난감은 관심도 없어 하니 발달에 문제가 있는 건 아닐까?', '이렇게 자꾸 한 가지만 갖고 노는건 집착, 자폐 아이들의 특성이라고 하던데...' 하는 생각에 마음이 쉽게 놓이지 않는 것 충분히 이해한다.

하지만 아이가 좋아하는 것에 꾸준히 몰입하는 태도는 결코 부정적으로만 볼 일이 아니다. 오히려 이것은 긍정적인 신호일 수 있다. 자신이 좋아하는 것을 분명히 알고 거기에 애정을 쏟는다는 건, 놀이에 대한 욕구와 열정이 살아 있다는 뜻이니까.

그렇다면 우리 아이는 왜 유독 한 가지 놀잇감만을 고집하며 그것에 깊이 빠져드는 걸까? 그 이유는 아이마다 조금씩 다를 수 있다.

어떤 아이는 단순히 그 놀잇감이 가장 재미있어서 시간 가는 줄 모르고 몰두하기도 한다. 지금 아이의 발달 수준에 딱 들어맞는 놀이라서 다른 자극은 애초에 눈에 들어오지 않는 것이다.

또 어떤 아이는 그 놀잇감으로 하는 놀이에서 만족감을 충분히 얻지 못해 계속 반복하는 것일 수도 있다. 혼자서는 그 이상의 놀이를 펼치는 게 어려운 것이다.

놀이 기술의 한계로 다른 놀잇감은 쉽게 손에 잡히지 않는 경우도 있다. 그래서 익숙하고 자신 있는 그 놀잇감만 찾는 것일 수 있다.

한편 양육자의 칭찬을 의식해서 자기가 잘하는 놀이만 고집하는 아이도 있을 것이다. 다른 놀이에 도전했다가는 실수할까 봐, 익숙한 곳에만 머무르려 하는 마음일 수 있다.

이렇듯 아이가 늘 같은 놀잇감 가지고 노는 데에는 다양한 이유가 복합적으로 작용한다. 그런데 안타깝게도 많은 양육자가 이를 성급하게 판단하곤 한다.

아이가 무언가에 '집착'한다고 섣불리 생각하고, 결정해서 그 행동 자체를 못하게 막아버리거나 아이의 관심과는 동떨어진 새로운 자극만 제공하려 든다는 것이다. 심지어 "다른 애들은 이것저것 다양하게 갖고 노는데 우리 아이는 뭔가 이상한 걸까?"라며 걱정 하기도 한다.

하지만 이런 생각과 행동은 결코 바람직하지 않다. 놀이에 대한 아이의 주도성과 자발성을 존중하지 않는 태도이니까. 아이의 감정과 욕구는 무시한 채 겉으로 드러난 행동만 문제 삼는 건 교감의 실마리조차 놓치게 만들 뿐이다.

물론 놀이의 폭을 넓혀가는 것은 중요하다. 하지만 그 출발점은 언제나 아이가 지금 좋아하고 즐기는 것이 되어야 한다. 한 가지 놀잇감을 다양한 방법으로 탐색하고 활용해 보는 과정 자체가 상상력과 창의력의 싹을 틔우는 일이 될 수 있다.

그러니 양육자에게 정말 필요한 자세는 아이의 놀잇감 집착을 그저 불편하게 생각하거나 성급히 고치려 하기보다, 그것을 아이와 소통의 기회가 생겼다고 긍정적인 생각을 하는게 더 유익할 것 같다.

아이가 그 놀잇감과 어떻게 교감하는지, 어떤 놀이에서 가장 즐거워하고 몰입하는지 눈여겨보라. 그리고 아이가 스스로 찾아낸 그 놀이의 즐거움에 동참해 주자. 아이의 관심사에 호응하고 그 안에서 함께 재미를 느껴보라. 그렇게 아이와 놀이로 교감하는 순간, 우리는 한 아이의 흥미와 재능을 발견하는 기쁨을 만끽할 수 있을 것이다.

또한 아이가 좋아하는 놀이를 함께 즐기다 보면 자연스럽게 새로운 확장의 실마리도 찾을 수 있다.
아이의 관심사를 활용해 조금씩 새로운 놀이를 제안해 보면 된다. 익숙한 놀잇감을 가지고도 다양한 방법으로 할 수 있음을 경험하게 해주는 거다.

그렇게 노는 재미와 즐거움이 커지면, 아이는 자연스레 또 다른 흥미로운 것들을 찾아 나서게 될 것이다. 우리가 아이의 흥미라는 씨앗에 정성스레 물을 주었기에, 언젠가는 싹을 틔우고 꽃을 피울 수 있게 되는 것이다.

반면 이 소중한 싹을 단번에 꺾어버린다면 어떻게 될까? 좋아하는 놀이는 못하게 하고 그저 어른이 보기에 가치 있어 보이는 것만 강요한다면? 아이는 점점 놀이 자체를 즐기지 못하고, 심지어는 양육자와 함께 노는 것마저 거부하게 될지도 모른다.

실제로 이런 불화의 상황에 놓인 아이들의 행동은 마음 아픈 모습들로 나타나곤 한다.

양육자가 곁에 오기만 해도 밀어내는 아이, 귀 기울여주기는커녕 등을 돌리고 피해 버리는 아이, 말을 건네면 화내며 입을 막아버리는 아이, 어떤 제안에도 반응조차 하지 않는 아이...

그리고 결국에는 부모와의 교감은 포기한 채, 자기만의 좁은 세계에 갇혀 그 안에서만 위안을 찾으려 애쓰는 아이까지.

이런 모습들은 아이의 내면에 공감하지 못하고 표면적인 모습에만 집착하다 보니, 결국 아이와의 소통마저 어려워지게 된 것 같다.

아이와 어른 사이의 벽을 쌓는 일, 그 누구도 원치 않을 것이다. 그 벽을 허물고 다시 교감의 다리를 놓기 위해서는 다른 무엇보다 아이의 눈높이에서 그들의 마음을 읽으려 노력하는 것이 먼저 되어야만 한다.

우리 아이가 한 가지 놀잇감에만 열중할 때, 우리에게 정말 필요한 질문은 이것이다.

"내 아이는 왜 저것을 그토록 좋아하는 걸까? 거기에서 무엇을 느끼고 배우는 걸까?"

진심으로 그 답을 궁금해하는 순간. 아이와의 거리를 좁히는 첫걸음이 될 것이다.

아이의 손에 쥐어진 블럭, 수십 번도 더 돌려본 자동차 바퀴까지. 그 모든 것에는 아이만의 의미가 있다. 우리 어른이 그 의미를 알아주고 기꺼이 공감해줄 때, 아이는 비로소 우리 품 안에서 편안함을 느끼게 될 것이다.

아이에게 필요한 건 새로운 장난감이 아니다. 자기가 좋아하는 놀잇감과 함께 놀이에 푹 빠져들 수 있는 것, 그리고 그 모습을 그저 즐겁게 지켜봐주는 양육자의 눈빛과 미소, 따뜻한 말 한마디. 아이에게 그것이 바로 최고의 선물이 되는거다.

아이의 마음에 귀 기울이고, 아이의 눈으로 세상을 바라보는 일. 어른인 우리에게도 분명 쉽지는 않을 것이다. 하지만 꾸준히 노력하다보면 언젠간 아이뿐 아니라 우리 자신에게도 소중한 성장의 기회가 될 것이다.

말도 못하는데 영어, 숫자, 한글만 보고 있어요.

아이가 말은 늦었는데 유독 영어나 한글, 숫자에 관심이 많아 보이는 상황. 많은 부모님들이 걱정이 앞서곤 한다.

"아이가 말도 제대로 못 하는데 영어책만 보고 있어서 다 치워버렸어요."
"아이가 말도 제대로 못 하는데 영어만 이야기해요."
"아이가 광고판, TV 속, 책, 다양한 매체들에 있는 숫자만 보고 있어요."

이런 상황에서 내가 드는 의문들이 있다.

아이가 말을 제대로 못 하더라도 영어, 한글, 숫자만 보고 있으면 왜 문제가 될까요?
아이가 영어나 한글, 숫자를 좋아하는 게 왜 문제인 걸까요?
아이가 상황에 맞는 말은 못 하지만 영어로 옹알이처럼 하는 게 왜 나쁜 걸까요?

아이가 숫자만 찾아다니는 게 도대체 무엇이 문제일까요?

이런 질문들에 대한 대부분의 양육자 분들의 대답은 이렇습니다.

"이 행동으로 인해서 아이의 언어 발달이 더 늦어질까 봐 걱정돼요."
"자폐증이 있는 아이들이 한 가지에 유난히 집착한다고 하던데..."

하지만 언어발달이 느린 아이의 이런 행동들을 문제로 볼 것이 아니라 오히려 소통의 기회로 바라보는 인식의 전환이 필요하다.

아이 입장에서 생각해 보라. 영어책을 보면서 신나게 놀고 있는데, 옆에서 엄마, 아빠가 같이 영어로 이야기해 준다면 너무 재미있어서 책장을 더 빨리 넘기면서 "또 해줘!"라고 말 할 것이다.

아이가 영어 옹알이를 할 때 부모님도 흉내 내듯 따라 해주면 아이는 너무 즐거워서 부모님 눈을 한 번 더 쳐다볼 것이다. 그 눈빛 속에는 "엄마, 아빠랑 노는 게 정말 신나!"라는 메시지가 담겨 있다.

아이가 숫자를 찾아다닐 때, 먼저 "여기도 숫자가 있네~ 저기도 있어~" 하고 아이의 관심사에 호응해주면 아이는 부모님 말에 귀를 더 기울일 것이다.

아이가 영어를 먼저 알아듣든, 한국어를 먼저 이해하든, 숫자에 먼저 관심을 보이든 그 순서가 중요한 게 아니다. 중요한 건 아이와 소통할 수 있는 통로가 하나 생겼다는 것이다.

그동안 양육자가 아이의 이런 행동들을 그저 못하게만 하고 제재만 했던 순간들, 사실은 모두 소통의 기회였던 셈이다. 이제는 그 기회를 잡아보라. 아이의 관심사에 귀 기울이고, 적극적으로 반응해주게 되면 어느새 아이는 부모님이 바라는 방향으로 성장하고 있을 것이다.

아이의 '집착'에 대해서도 걱정만 할 게 아니다. 아이의 관심이 한 군데에 쏠려 있다고 해서 그게 꼭 자폐증상으로 연결되는 건 아니니까. 오히려 아이가 좋아하는 그 부분에 먼저 다가가 보고, 그것을 통해 아이와 교감하고 대화를 나누다 보면 어느새 아이는 더 넓은 세상에 눈을 뜨게 될 것이다.

언어 발달이 늦은 아이에게는 한 번이라도 더 아이의 반응을 이끌어내는 게 가장 중요하다. 그러니 아이의 행동에 대해 걱정만 하고 제재만 할 게 아니라, 아이가 좋아하는 것에 호응하고 격려해주는 것. 그것만으로도 아이는 변화할 수 있다.

아이의 모든 행동을 있는 그대로 지지해주고 반응해주자.
영어책을 보면서 아이가 웃음 짓는다면, 숫자만 찾아다닌다면 그 행동 자체를 문제 삼기보다 그 안에서 아이와 내가 함께 즐거워할 수 있는 방법을 찾아보자.

아이의 관심사를 존중하고 수용하는 과정에서 부모와 아이는 서로를 더 깊이 이해하게 될 것이다. 그리고 어느 순간, 아이는 자연스레 세상과 활발히 소통하는 아이로 성장해 있을 것이다. 확신한다.

우리 아이가 세상과 만나는 방식이 조금 독특하더라도, 그것을 아이다움으로 바라보고 응원해주는 것. 그게 바로 부모가 해줄 수 있는 최고의 사랑이자 교육이다. 오늘부터 우리 아이의 작은 손짓, 눈빛, 행동 하나하나에 귀 기울여 보는 건 어떨까? 거기에 담긴 아이의 마음을 알아채는 순간, 아이와 소통하는 가장 따뜻한 길이 열릴 것이다.

아이의 모든 행동에는 의미가 있다. 우리 어른이 그 의미를 알아채 주는 것, 거기서부터 아이와 진짜 소통이 시작되는 것이다. 오늘 하루, 우리 아이의 사소한 행동 하나라도 따뜻한 눈길로 바라보는 시간 가져보면 좋겠습니다. 그 속에서 아이가 나누고 싶어 하는 마음을 발견하게 될 것이다.

아이와의
신뢰가
무너지고 있다.

양육자, 물건, 음식에 대한 집착이 심해요.

집착의 정의는 어떤 대상에 마음이 쏠려 매달리는 것

아이들의 집착은 자폐라서? 고집이 쎄서? 아닌 것 같다. 나는 불안에서 비롯된다고 생각한다.

아이 입장에서는 집착해야만 마음이 놓이기 때문이다. 양육자를 옆에 두어야 갑자기 사라질지 모른다는 불안감이 가시고, 음식을 지금 당장 다 먹어 두어야 언제 먹을 수 있을지 모른다는 걱정이 사라지며, 물건을 손에 꼭 쥐고 있어야 뺏길지도 모른다는 근심이 없어지는 것이다.

그렇다면 대체 왜 아이들은 이렇게 불안해 하는 걸까? 그 근본 원인은 바로 양육자와 아이 사이의 신뢰가 부족하기 때문이다.

그럼 신뢰는 도대체 언제부터 어떻게 싹트기 시작하는 걸까? 아기 때부터 양육자가 늘 곁에서 울음을 달래주고, 배고픔을 채워주고, 잠들 때 자장가를 불러준다면 아이는 "엄마, 아빠는 어떤 상황에서도 날 보살펴줄 거야"라는 믿음을 갖게 된다.

여기에 더해 양육자가 날마다 비슷한 방식으로 아이에게 반응해주면 아이는 "우리 엄마, 아빠는 날 충분히 이해하고 있어"라고 여기게 되고, 그런 일관성 있는 태도가 아이에게 든든한 안정감을 선사하게 되는 것이다.

그래서 양육자가 아이의 사소한 행동 하나하나에도 민감하게 반응해줄수록 아이는 점점 더 엄마, 아빠를 신뢰하게 된다. 그 과정에서 아이는 "우리 엄마, 아빠는 내가 도움을 요청할 때면 언제나 응답해줄 거야"라는 굳건한 믿음을 쌓아간다.

그런데 어떤 아이들은 왜 양육자에 대한 신뢰가 깨져 집착이 생기게 되는 걸까?

무엇보다도 아이들은 말로 전해 듣는 것보다 눈으로 직접 보고 몸으로 겪은 경험에 의해 훨씬 더 크게 좌우된다.

예를 들어보면 아이가 항상 양육자와 한데 어울려 지냈는데 하루는 갑자기 양육자가 보이지 않는다면 어떨까? 분명 아이는 '엄마, 아빠는 어디로 간 거지?' 하고 혼란스러워할 거다. 양육자가 곁에 있으리라 믿어 의심치 않았던 아이로선 갑작스러운 부재가 두렵고 불안할 수 밖에 없게 된다.

이럴 때 양육자의 반응 하나하나가 아주 중요하다. 가령 아이가 울먹이는데 너무 당황한 나머지 과하게 대응하거나, 짜증을 내며 "엄마 여 잖아! 왜 그러는 거야!"라고 부정적으로 반응한다면 아이는 양육자의 부재를 더 큰 문제로 받아들일 수 있다.

사실 그 순간 아이가 가장 하고 싶었던 말은 그저 "엄마 어디 갔다 왔어요?"였을 것이다. "엄마 여기 있어~ 엄마한테 찾았어?"하고 포근하게 안아주며 안심시켜 주었다면 아이는 한결 편안해졌을 것이다.

하지만 실제로는 많은 분들이 아이가 애착을 보이며 떨어지기 싫어한다는 이유로 갑자기 없어지는 선택을 하는 경우가 많은 것 같다. 아이 입장에선 이게 바로 신뢰가 금가는 순간이. 순간의 평온을 얻을 순 있겠지만, 아이가 양육자의 부재를 알아차리면 오히려 불안감은 배가 되고 만다.

또 아이가 울며 엄마를 찾을 때 "엄마 보고 싶었어?", "엄마한테 불렀어?" 하고 아이의 속마음을 헤아려주기보다 "여기 있잖아!"라며 짜증어린 태도만 보인다면 안정감보다는 불안함만 커져서 아이는 오히려 양육자를 더 집착하게 될 것이다.

음식이나 물건에 집착하는 아이들 역시 지나친 제재와 통제가 주된 원인이 되곤 한다.

아이의 감정은 무시한 채 양육자가 정한 규칙만 강요하는 경우가 대표적이다. 아이가 젤리를 무척 좋아하는데, 양육자가 "젤리는 하루에 한

번, 밥 먹고 나서만이야!"라고 원칙을 세워놓고 아이가 울던지, 때를 쓰던말던 꿋꿋이 하나만을 고수한다면 어떻게 될까?

나도 같은 부모로써 규제에 이유에는 치아 건강을 지키고, 편식을 예방하며, 바른 식습관을 길러주려는 각별한 배려가 담겨 있음을 안다. 허나 엄격한 기준 때문에 아이는 도리어 젤리에 더 집착하게 되고, 결국 그 절실함이 집착으로 번지는 경우가 있다.

사실 이런 상황에서 아이에게 가장 먼저 전해야 할 메시지는 "네가 먹고 싶어 하면 언제든 줄 수 있어"라는 믿음이다. 말하자면 '신뢰'인 것이다.

아이 마음속에 '아, 내가 원할 때 먹을 수 있구나' 하는 안심이 깃들게 된 후에야 비로소 협상을 해도 좋고 규칙을 만들어도 괜찮아진다. 하지만 그 신뢰가 단단해질 때까지는 꾸준히 대화를 나누고 공감대를 형성하려 애쓰는 과정이 필요하다. 한번에 되지는 않을 것이다. 꾸준함이 변화를 일으킬 것이다.

그럼 이 과정은 얼마나 오래 지속되어야 할까? 아이가 양육자를 온전히 믿게 될 때까지다.

하지만 안타깝게도 많은 분들의 육아 방식은 '거절(규칙) → 협상 → 신뢰'의 공식을 따르곤 한다. 계속해서 '안 돼'라고 교육하다 보면 아이도 어느 순간 타협점을 찾고 나를 따를 것이다라고 기대하겠지만 하지만 그 결과는 기대와는 정반대로 나타날 확률이 높다.

아이로서는 "매번 안 된대. 그럼 몰래 하는 수밖에, 기회 될 때 실컷 해야지"라는 생각에 사로잡히게 되고, 이는 양육자의 질책으로 이어지면서 악순환의 고리를 만들게 된다.

아이가 진정 원하는 건 '신뢰 → 협상 → 거절(규칙)'의 순서를 밟는 거다.

양육자가 먼저 아이에게 신뢰를 보여주면 다른 결과가 나타날 수 있다.

신뢰가 형성 되고, 아이가 쿠키를 더 달라 졸라대면 "지금은 쿠키 먹을 시간이 아니야. 그래도 점심 먹고 나면 하나 먹자"라고 약속하고, 밥먹고 난 후 먼저 나서서 밥 다먹었네 쿠키도 먹자~ 이렇게 한 번, 두 번 약속을 철저히 지켜나가다 보면 아이는 "우리 부모님 말 한것은 지켜주는구나. 그리고 내가 원하는 게 안 될 때도 있구나" 하는 이해에 도달하고, 규칙도 더 잘 따르게 된다.

그럼 구체적으로 어떤 노력을 기울여야 아이에게 신뢰를 주고 집착에서 벗어나게 할 수 있을까?

가장 중요한 건, 아이에게 양육자의 반응이 예측 가능하고 일관성 있게 느껴질 때 비로소 아이는 또 거절 할 것이라는 불안함보다는 안정감을 느끼고 신뢰가 형성 된다.

아이에게 신뢰 형성은 내가 뱉은 말 작은 약속 지키는 것부터 시작이다.

이렇게 실천해 보자.

- 양육자가 아이에게 작은 약속을 하고, 그 약속을 바로 지켜주기.
예를 들어, "공원에 가서 놀자"라고 말했다면, 정말로 곧바로 공원에 가서 놀아줘라. 이렇게 부모가 약속을 잘 지킬 때, 아이는 양육자가 자신의 말을 신뢰하고 중요하게 여긴다는 것을 느끼고, 이는 아이와 양육자 사이의 신뢰를 더욱 강화시킨다.

- 아이가 원하는 말, 느끼는 감정을 내가 대신하여 이야기 해주기

- 아이를 대하는 태도에 변덕스러움 없이 한결같이 임하기. 단, 양육자인 나 자신의 감정도 소홀히 해선 안 되니 스트레스를 해소할 수 있는 건강한 방법을 찾아두는 것 또한 잊지 않았으면 한다.

아이와 다시 믿음을 쌓는 일은 결코 하루아침에 이뤄지지 않을 것이다. 하지만 한걸음, 한걸음 정성스레 노력하다 보면 어느새 변화의 기운이 서서히 일고, 그렇게 회복한 신뢰는 앞으로의 양육에서 마주칠 많은 어려움들을 헤쳐나가는 원동력이 되어줄 것이다.

아이가 미용실, 병원에 가면 난리가 나요.

사실 내가 부모가 되기 전에는 몰랐다. 매 순간 선택하고, 그 선택에 대해 책임을 져야 할 일이 이렇게나 많다는 걸 말이다.

내가 부모가 되어 내 아이를 병원에 데려갔을 때 멘붕이 왔다. 치료는 받아야 하는데, 아이는 겁에 질려 발버둥 치는 바람에 내가 힘을 쓰지 않을 수가 없었다. 참 난감한 순간이더라.

아이를 억지로 안고 있자니 이게 과연 맞는 걸까 하는 의문이 들 때가 한두 번이 아니었다. 이런 경험은 아이를 키우는 부모라면 누구나 겪어 봤을 법한 일이다.

자폐 증상이 의심된다고 해서 발달이 정상적인 아이들과 이런 면에서 다르지 않은 것 같다.

이제부터 제 개인적인 경험을 바탕으로 아이들의 마음을 좀 더 깊이 이해해 보려 한다.

나도 어릴 적엔 굉장히 예민한 아이였었다. 특히 병원은 저에게 너무나 두려운 공간이었다.

왜 그렇게 무서웠을까 곰곰이 되짚어보니, 우리 부모님은 제게 충분한 설명을 해주시지 않았던 것 같았다.

"치료를 받아야 좋아진다"는 말씀만 하셨지, "코가 막혀서 숨 쉬기 힘들 겠구나. 많이 불편하지?", "병원 가서 약 먹으면 금방 나을 거야"와 같이 제 고통에 공감해 주는 말씀은 없었다. 그냥 기침을 하면 병원에 가서 치료를 받자는 식이었던 것 같다. 물론 내가 어려서 기억을 못 하는 나 이때는 말씀하셨을 수도 있겠지만..

게다가 병원에 도착하면 낯선 분위기에 두려웠던 것은 물론이고, 부모님의 말투와 표정이 나를 더 긴장시켰다. 지금 생각해보면 부모님도 내가 또 난동을 부릴까 봐 걱정이 되셨던 것이지 않을까? 그런 긴장된 모습이 어린 내 눈에는 더 부정적으로 비쳤던 것 같다.

병원만 가면 난리가 나는 아이들도 아마 나와 비슷한 생각을 하고 있지 않을까?

그렇다면 우리 아이들의 긴장감은 어떻게 풀어줄 수 있을까?

제 경험을 토대로 우리 아이에게도 적용해 보았고, 위 어려움을 갖고 있는 다른 아이들에게도 몇 가지 방법을 제안해 봤다. 실제로 아이들이 새로운 환경에 적응하는 데 많은 도움이 되는 것 같다. 성공률도 상당히 높았다.

먼저 우리의 표정을 편안하게 유지하고, 목소리 톤도 밝게 가져가면서 아이의 불편함에 먼저 공감해 주는 것이다.

아이가 무서워하거나 치료 과정에서 힘으로 제압해야 하는 순간이 있더라도 우리의 태도를 일관되게 유지하는 게 중요하다.

그리고 병원이나 미용실 같이 아이가 두려워하는 곳을 꼭 치료 목적으로만 방문할 필요는 없는 것 같다.

간호사 선생님이나 미용사 분께 양해를 구하고, 매일 출근 도장을 찍어 주면서 아이에게 그곳이 익숙한 공간이 되게끔 만들어주는 것도 좋은 방법이었다. 방문할 때마다 선생님들이 아이가 좋아하는 것을 건네주게 하는 것도 도움이 된다.

그리고 치료나 머리 자르기 같이 우리가 목적을 가진 행위에 대해서는 과하게 칭찬해 주는 게 좋다.

병원에서 주사를 맞고 울더라도 "우와, 오늘 정말 용감하게 치료 잘 받았는걸?", "선생님 앞에서 가만히 앉아있기 너무 어려웠을 텐데 대단해!"라며 칭찬을 아끼지 말아야 한다.

병원 문을 들어가는 것조차 겁내는 아이라면 부모 손을 꼭 잡고 억지로라도 현관까지만 갔다 왔다고 하너라도 "오늘은 현관문까지 갔다 왔네! 정말 대단하다!"라고 아이가 정말 잘한 것 처럼 칭찬해 주고 좋아하는 것을 보상으로 주는 것도 효과적이다.

머리 자르는 게 예민한 아이들에겐 무서워하는 부위를 평상시에 쓰다듬어주면서 칭찬하는 것도 좋은 방법이다. 단, 스킨십은 늘 부드럽고 따뜻한 손길로 하는 것을 추천한다. 그러면 점차 둔감해지는 효과가 있다.

어떤 상황에서든 우리가 강요해서 이뤄낸 일이라도 아이가 잘해냈다고 말해주는 게 중요하다.

아이가 좋아하는 것으로 보상을 줄 때는 조심해야 할 점이 있다. "이거 하면 저거 줄게"라는 식의 거래는 삼가는 게 좋다. 목적을 전제로 한 보상은 아이의 좋아하는 것에 대해 흥미를 떨어뜨릴 수 있다. 일단 좋아하는 것에 대한 흥미가 사라지면 통제하기가 훨씬 어려워진다.

아이가 느껴야 할 건 "평소에도 보상을 주시던 부모님이 내가 노력하니까 더 많이 주시는구나!"하는 것. 이게 포인트이다.

이렇게 하다 보면 시간이 지날수록 아이는 할 수 있다는 자신감이 생기고, 스스로 도전해보려는 시도도 하게 될 것이다.

부모의 반응이 들쭉날쭉하거나 부모의 긴장감이 아이에게 그대로 전해진다면 아이는 더 큰 저항감을 느낄 수밖에 없으니 최대한 일관되고 평

온한 태도를 유지하는 게 아이를 안정시키는 지름길이다.

아이를 새 환경에 적응시키는 방법은 다양하지만, 여기서 말씀드린 것들이 기본 중의 기본인 것 같다. 이것만 잘 실천해도 많은 아이가 차츰 변화를 보일 것이다.

의심하지 말자.
아이는
노력하고 있다.

부르면 아무런 반응도 안해요.

우리 아이, 이름을 부르면 잘 쳐다보지 않나요? 혹시 청력에 문제가 있는 건 아닌지 걱정되시기도 할 것이다.

우선 아래 6가지 상황에서 아이의 반응을 유심히 살펴보자.

1. 아이의 이름을 부르면 눈동자라도 움직이나요?
2. 아이의 이름을 부르면 하던 행동을 잠시 멈추나요?
3. 아이의 이름을 부르면 잠깐 쳐다보고 다시 제 할 일을 하나요?
4. 아이가 좋아하는 간식을 "OO아, 과자 먹을래?"라고 물어보면 다가오나요?
5. 같은 간식을 들고 "OO야, 이거 먹을래?"라고 말만 들려줄 때는 보지 않는데, 직접 보여주면 관심을 보이나요?
6. 한두 번 반응하다가도 이내 시들해지진 않나요?

만약 이 중 어떤 경우에도 아이가 전혀 반응이 없다면 두 가지 가능성을 염두에 두어야 한다.

첫째는 아이의 청력에 문제가 있을 수 있다는 것이다. 이런 의심이 들면 꼭 전문의의 진찰을 받아보시길 권해드린다. 혹시 모를 문제를 빨리 발견하는 게 아이의 발달에 큰 도움이 된다.

둘째는 아이가 반응할 만한 적절한 동기나 상황이 부족했을 수 있다. 자신이 보인 반응에 대해 긍정적인 경험이 없거나, 반응하지 않아도 불이익이 없었다면 아이는 굳이 반응하려 들지 않게 된다.

나는 이 두 번째 원인에 대해 좀 더 알려드리고자 한다. 상황 분석을 통해 아이가 왜 반응을 안 하게 되었는지, 그리고 어떻게 해야 아이의 반응성을 높일 수 있을지 알아보자.

내가 상담했던 아이들의 사례를 분석해 보니 반응이 줄어든 아이들에겐 몇 가지 공통점이 있었다.

- 아이가 배고프다거나 불편한 기색을 보이기도 전에 양육자가 먼저 알아채서 해결해 주는 경우
- 아기 때부터 울음소리에 예민하게 반응하며, 달래는 말은 건네지 않고 행동으로 재빨리 문제를 해결해 주는 경우
- 기저귀 갈 때쯤 되면 우는 아이에게 달려가 묵묵히 기저귀만 갈아주고 떠나는 모습이 반복되는 경우
- 또 어떤 아이는 보채고 울어도 양육자가 무관심한 채 양육자의 스케줄대로만 아이를 양육하는 경우에도 표현 방법을 배우지 못할 수 있었다.

- 양육자와 대화하는 시간보다 TV나 영상 콘텐츠에 노출되는 시간이 지나치게 많은 경우
- "대답 안 한다"는 이유로 아이의 이름을 계속 부르며 강압적으로 반응을 이끌어내려 했던 경우
- 아이에게 확인하는 말을 건네거나 질문만 많이 하는 경우

실제 이런 사례들이 문제의 원인이 될 수 있다는 것이 놀라웠다.
그리고 위의 문제적 상황을 반대로 바꿔보면 문제가 하나하나 해결될 수 있을 것이다.

나이와 상관없이 모든 아이에게 절실히 필요한 건 양육자의 긍정에 목소리, 따뜻한 스킨쉽과 같이 내가 사랑받고 있구나를 느끼게 하는 게 중요하다.

오늘부터 이렇게 실천해 보자.

- 매일 틈날 때마다, 최소 하루 10번 이상은 아이를 안아주기. 혼자 노는 상황이라도 한 번 안아주고 토닥여주며 "우리 OO이, 정말 사랑스럽다"라고 속삭여주자.

- 한번 두번 불렀는데도 쳐다보지 않으면 아이에게 내가 먼저 다가가서 웃는 얼굴로 간지럼을 태워주고, 똑같은 눈높이에서 아이의 이름을 불러주세요. "OO아, 엄마(아빠) 왔어. 우리 같이 놀자" 하고 말해주기

- 다른 것에 정신이 팔려 엄마 아빠를 쳐다보지 못할 때는 그 물건 앞을

가려보자. 그러다 아이와 눈이 마주치면 씩 웃어주며 "우와, 우리 OO이가 엄마(아빠) 보는구나! 참 잘했어!" 히고 쓰다듬어 주자.

- 아이가 반응하면 그에 따른 보상도 잊지 말자. 칭찬과 스킨쉽 그리고 "OO이가 아빠 부르면 대답해 줘서 고마워. 우리 OO이 대답 잘한다~!" 하고 말해주기

처음엔 어색하고 힘들 수도 있다. 하지만 꾸준히 실천한다면 아이는 우리의 관심과 사랑을 느끼고 점점 반응하는 법을 배워갈 것이다. 바로 지금, 옆에 있는 우리 아이에게 사랑을 듬뿍 담아 말을 걸어보자.

"OO아, 우리 같이 놀자. 엄마(아빠)가 OO이랑 노는 게 제일 재밌어."

천천히 꾸준히 노력하다 보면 분명 아이는 조금씩 조금씩 반응이 나타날 것이다.

호명 반응을 안해요.

현재 책을 보고 있는 부모님은 어떤 것을 보고 호명 반응이라고 하는가?

사실 양육자마다 호명 반응에 대한 기준에는 차이가 있다.

어떤 부모님은 물리적 반응기준으로 아이가 이름을 듣고 눈을 부모에게로 돌리거나, 머리를 돌리는 등의 물리적 반응을 보이는 것을 호명반응이라고 한다.
또 어떤 부모님은 언어적 반응 기준으로 아이가 "네", "여기" 등 언어로 반응해야 호명반응이라고 한다.

또 다른 부모님들은 주의 집중 기준으로 아이가 잠깐이라도 주의를 집중하는 것, 예를 들어 놀이를 멈추고 잠시 귀를 기울이는 것을 호명반응이라고 한다.

또는 사회적 상호작용 기준으로 웃거나 눈을 맞추는 등 사회적 상호작용을 보이는 것을 기준을 호명 반응이라고 한다.

심지어 어떤 분들은 반복적 호출에 대한 반응 기준으로 여러 번 불렀을 때 아이가 반응하는 것을 호명반응으로 생각한다.

아이들의 호명반응은 다양한 형태로 나타날 수있다. 부모님이 관찰할 수 있는 5가지 예시 중에서 하나라도 해당된다면, 이는 아이가 호명반응을 하고 있다는 긍정적인 신호이다. 아이가 물리적 반응을 보이든, 언어적으로 반응하든, 주의를 집중하든, 사회적 상호작용을 보이든, 혹은 반복적인 호출에 반응하든, 이 모든 것들은 아이가 자신의 이름을 인식하고 반응하는 과정의 일부이다.

호명반응이 아직 완전하지 않다고 해서 아이의 발달에 문제가 있다고 판단하지 않으셨으면 한다. 아이들은 각자의 속도로 발달하며, 호명반응에 있어서도 개인차가 있다. 어떤 아이는 이름을 부르면 바로 눈을 마주치지만, 다른 아이는 반응하는 데 더 많은 시간이 필요할 수 있다. 중요한 것은 아이가 점차적으로 자신의 이름에 반응하고, 이를 통해 의사소통 능력을 키워나가고 있다는 점이다.

부모님은 아이의 작은 변화를 관찰하고, 이를 격려하며 아이의 성장 과정을 지지해야한다. 예를 들어, 아이가 이름을 부를 때 눈을 마주치지 않더라도, 이름을 듣고 몸을 돌리거나 반응하는 모습을 보이면 이를 긍정적으로 생각하고 칭찬할 필요가 있다. 아이에게 자주 이름을 불러주고, 이름을 아이가 좋아하는 활동과 연결시키는 것도 호명반응을 강화하는 좋은 방법이 될 것이다.

아이의 호명반응이나 다른 발달 영역에 있어 '부족함'을 발견했다면, 이를 '문제'라고 해석하기보다는 '발전할 수 있는 기회'로 바라보는 것이 가장 중요하다. 이러한 긍정적인 해석이 아이의 자신감을 높이고, 새로운 도전에 대한 용기도 생긴다. 또한, 부모님의 지지하는 태도와 격려는 아이가 자신의 능력을 발휘하고 성장하는 데 큰 도움이 될 것이다.

뭐라고 소리는 내는데 무슨 말을 하는것인지
잘 모르겠어요.

아이가 말을 계속해서 시도할지 아니면 앞으로 말 대신 행동으로 의사소통할지 결정하는 너무나 중요한 순간이다.

단어가 정확하게 들려야지만 말했다고 인정해 준다면 점차 아이는 말하는 재미가 떨어져 말을 안 하는 선택을 할 것이다.

이제 스스로 말로 표현하는 자발 (스스로 언어로 표현하기 시작하는 것)에 시작 단계이다.

지금은 발음이 중요한 것이 아니다.

이때 가장 중요한 것은 아이가 말하고자 하는 것이 무엇인지 빨리 알아채서 공감해 주는 것이다.

아이가 말하는 것에 대해 반응을 많이 해준다면 아이는 신이 나서 더 많은 말을 시도 할 것이고,

이게 무슨 소리야? 그게 뭐야? 뭐라고? 다시 말해봐! 예쁘게 말해봐! 와 같은 반응을 한다면 아이는 말 하는 것이 재미 없게 되어 진짜 필요한 게 생기지 않는 한 말을 하려 하지 않을 것이다.

계속해서 아이 언어표현에 공감해 주고, 긍정적인 반응을 보여준다면 어눌한 발음은 시간이 지나면서 점차 개선될 수 있다.
하지만 시간이 지남에도 발음의 어려움이 있다면 그 원인을 살펴볼 필요가 있다.

아이는 말하는데 재미가 생기고, 한마디라도 더 하려고 하는데도 불구하고, 발음이 개선되지 않는다면 이런 것
첫 번째로는 기능적으로 발음에 어려움이 있을 수도 있다.

- 연개구(우리가 ㄱ소리를 낼 때 닫는 그 부분)를 닫고 여는 것에 어려움이 있다거나
- 혀 사용이 원활 하지 않다거나
- 턱 움직임이 둔하다거나
- 입술 움직임이 약하다거나

두 번째로는 신경적으로 발음에 어려움이 있을 수도 있다.

- 구개파열이 있다든지
- 청력에 문제가 있다든지

위와 같은 기능적, 신경적 어려움이 있다면 후속 조치가 필요하지만 그럼에도 가장 중요한 것은 아이의 표현 의지 자체를 인정하고 긍정적으로 반응해 주는 것이 가장 중요하며, 이를 통해 아이는 말하는 즐거움을 느끼고 계속 의사소통을 시도할 것이다.

상황에 맞지 않는 말을 해요.

혹시 아이가 상황에 맞지 않는 말을 한다고 할 때

그거 아니지! 너 지금 무슨 말하는 거야! 이상한 말하지 말고 똑바로 이야기해! 다시 이야기해! 스스로 생각해! 와 같은 이야기를 하고 계시진 않으신가요?

아마 대부분은 상황에 맞지 않는 틀린 말이니 수정해야 한다고 많이들 알고 계실 것이다.

즉각 수정을 해줘야 아이가 제대로 된 말을 할 확률이 올라갈 것으로 생각하실 것이다.

맞다.

수정은 해줘야 한다. 하지만 수정을 해줘도 괜찮은 아이가 있고, 수정을 해주는 것 자체가 오히려 독이 되는 경우도 있다.

수정을 해줘도 괜찮은 아이들은 자존감이 높은 아이들이다.

자존감이 높은 아이들은 자기가 한 이야기에 수정을 해줬을 때 지적받았다고 생각하기보다는 아~ 그냥 이렇게 하라고 하는 거구나~ 라고 생각하고 수정이 잘 될 수도 있다.

하지만 자존감이 낮은 아이들 또는 이제 조금씩 단어로 표현하기 시작한 아이들에게는 독이 된다.

부모님 입장에서는 수정을 해주면 "아이가 상황에 맞는 말이 더 늘겠지. 그러면 아이가 재미가 있어서 더 하려고 하겠지"라고 생각하시겠지만

아이 입장에서는 또 틀렸어! 또는 또 지적당했다고 부정적으로 받아들일 확률이 더 높다.

안 그래도 아이는 서툴지만 내가 할 수 있는 말로 최선을 다해서 이야기 했지만 내가 이야기 한 부분에 대해서 칭찬을 해주기보다는 돌아오는 건 틀렸다. 잘못되었다. 와 같이 부정적인 반응으로 돌아오고 이러한 부정적인 경험이 반복될수록 아이는 내가 말하는 자체가 잘못된 걸로 인식할 수 있다. 이렇게 되면 문제가 커진다.

이때 발생하는 문제는

진짜 필요한 말 이외에는 하지 않는다. 틀릴까 봐.

엄마가 이야기 해줄 때까지 기다린다. 앵무새처럼

왜냐하면 어차피 내가 말한 건 틀린 것일 거니 엄마가 이야기하는 말만 따라 할래~로 되어서 반향어만 늘게 된다.

반향어가 많아지면 따라 하지 말라고 이야기하고, 생각하라고 이야기 하니 점차 말로 하는 것보다는 행동으로 하는 빈도가 더 늘게 되는 것이다. 짜증은 당연하게 늘게 되는 것이고

그러면 대체 어떻게 해야 할까?

단어 그대로 의미를 해석하기보다는 이야기 속에 담긴 의미를 먼저 파악해서 알려주는 것이다.

틀린 단어라도 수정을 먼저 하기보다는 아이가 말하고 있는 의미를 가장 먼저 이해해 주고 반응해 준다면 아이는 더 말하려고 할 것이다.

상황에 맞지 않는 말을 할 때는 2가지 확인해 볼 것이 있다.

- 무엇인가 말하고자 하는 의도가 있는 것인지?

- 그냥 혼자 상황에 맞지 않는 말을 하는 것인지?

무엇인가 말하고자 하는 의도가 있을 때는 그 상황에 해야 할 표현이 바로 떠오르지 않거나, 모르는 것일 확률이 높나.

이때는 아이에게 그거 아니야 라고 지적을 하기보다는 아이가 원하는 것이 무엇인지 알고 있다면 아~ 이거 올려달라고? 내려달라고? 와 같이 아이가 하고자 하는 이야기를 구체적으로 부모님 입으로 대신 전달 해 주시면 점차 상황에 맞는 이야기로 수정될 확률이 더 높다.

혼자 상황에 맞지 않는 말을 할 때는 문득 생각이 나서 하는 이야기일 확률이 높고, 이럴 때는 아이 말을 따라 하며 이런 생각이 났어~ 하고 호응해 주며 잘못됐다 지적 하기보다는 의미를 만들어 주는 게 더 좋은 방법이다.

상황에 맞지 않는 말을 한다고 걱정하지 마라.

이는 어휘가 확장 되어가는 하나의 과정이다.

아이가 뭐든지 나란히 나란히 줄을 세워요.

많은 부모님들이 아이가 물건을 줄 세우는 모습을 보고 자폐 특성이 아닌가 걱정하시는 경우가 많이 있다. 실제로 컨설팅을 의뢰하시는 부모님들 중 아이의 이런 모습을 자폐증 증상으로 오해하시는 분들이 10명 중 7명은 되는 것 같다.

그러나 사실 이는 자폐의 특성이 아니라 아이들의 자연스러운 발달 단계에서 나타나는 놀이 중 하나이다. 아이들 간에는 시기의 차이가 있을 수 있으나 평균적으로는 생후 18개월에서 24개월 사이에 물건을 분류하고 정렬하는 놀이를 즐긴다.

이 시기에아이들은 자신의 환경을 탐색하고 이해하기 시작하면서, 사물의 공통점과 차이점을 인식하게 된다. 이를 바탕으로 유사한 물건끼리 모으거나 일정한 기준에 따라 배열하는 놀이를 하게 되는데, 예를 들어, 아이들은 같은 색깔이나 모양의 블록을 모아서 쌓아 올리기도 하고, 크기순이나 색깔순으로 장난감 자동차를 줄 세우기도 한다. 또한 퍼즐 조각을 맞추거나, 그림책의 그림과 실제 사물을 대응시키는 놀이도 이 시기에 나타난다.

줄 세우기 집착의 문제는 다양한 원인에 의해 발생할 수 있다. 우선 아이가 줄 세우기 놀이를 너무 재미있어하거나, 다른 놀이에는 관심이 없거나, 이러한 놀이를 못하게 하거나 치워버렸을 때 또는 불안하거나 스트레스를 느낄 때, 주위를 끌기 위한 수단 및 의사소통의 어려움으로도 발생한다.

위에 나열한 상황에 아이의 줄 세우기를 못하게 막거나 놀이 도중에 치워버리면 아이는 오히려 더 집착하게 되고, 부모님이 다른 놀이를 제안해도 계속해서 줄 세우기에만 몰두하게 되는 것이다.

이는 부모님들이 아이의 자연스러운 발달 과정을 이해하지 못하고 지나치게 통제하려 했기 때문이다. 아이에게 줄 세우기는 단순한 놀이가 아니라 세상을 이해하는 중요한 과정이기에, 부모님이 개입하여 방해할 경우 아이는 혼란스러워하고 더욱 집착하게 되는 것이다.

그럼 언제까지 지켜봐야 하는가에 기준을 드리자면
30개월 이 전에 아이들이라면 자폐를 고민하기 보다는 아이의 줄 세우기 놀이에 어떻게 같이 참여 할 수 있을까를 고민해 보는 게 좋겠다.
다만 36개월 이상인데 아직 줄 세우기에 집착하고 있다면 아이의 심리적인 분석이 필요하다.
줄 세우기를 아직도 포기 못하는 원인을 찾아야 한다.
원인은 놀이, 인지, 행동, 심리 등으로 다양하게 찾아보아야 하지만 이를 해결 할 수 있는 가장 빠르고, 효과적인 방법은 스스로 말하여 표현하게 하는 것이다.
말하기가 원활하지 않는다면 하루빨리 무발화 수업을 하는 것을 권한다.

아이의 말, 그러니까 소통이 원활하지 않으니 다양한 놀이로 확장이 안 되는 것은 당연하고, 인지, 언어, 행동적인 부분이 늘지 않는 것도 당연하다.

소통이 시작되면 아이의 행동에 원인이 더 또렷하게 보이기 시작하고, 문제 해결에 있어서 아이가 원하는 방법을 제시 해줄 수가 있다.

아이와 몸짓, 손짓, 눈빛, 소리 등 다양한 방법의 대화를 나누면서 아이의 생각과 감정을 이해하려 노력해야 한다. 아이가 말 또는 행동으로 자신의 욕구와 필요를 표현할 수 있게 되면, 줄 세우기에 집착하는 이유도 파악할 수 있게 된다. 아이의 말에 귀 기울이고 공감해 주면 아이는 부모를 더욱 신뢰하게 되고, 부모의 제안과 도움을 더 잘 받아들일 수 있다.

부모는 아이가 물건을 줄 세우며 노는 모습을 볼 때는 그것이 자연스러운 발달 과정임을 이해하고, 아이가 줄 세우기에 몰두할 때는 함께 놀이에 참여하되, 강요하거나 방해하지 말고 아이의 관심에 말을 들려주기만 해도 된다.

놀이에 함께하다 보면 아이가 싫증을 느끼거나 다른 놀이에 관심을 보이기 시작할 때를 자연스럽게 알아차릴 수 있다. 이때 부모는 유연하게 아이의 변화에 맞춰 새로운 놀이로 전환해 주면 된다.

반복해서 한 가지에 집착한다는 이유로 놀이를 통제하기보다 함께 즐기려 노력한다면, 아이는 줄 세우기에 지나치게 집착하지 않고 다양한 놀이를 경험하며 건강하게 성장할 수 있을 것이다.

스스로 생각하지 않고 앵무새처럼 따라만 해요

말하지 않던 아이가 말하게 되니 기쁨도 잠시, 스스로 생각해서 자발은 하지 않고, 앵무새처럼 따라만 하는 걸 보니 많이 답답하실 것 같다.

말에 단계에는 반향어라는 과정이 있다.
이 과정에서 자발로 넘어가기까지의 시간은 아이마다 큰 차이를 보인다.
하지만 꼭 필요한 과정이다.
어떤 아이들은 이 과정을 통해서 발음이 점점 더 다듬어지기도 하고, 이 과정에서 인지와 감각 및 문제행동 같은 부분도 많이 성장하기도 한다.

말하는 방법을 배우면
어떤 아이들은 "아하! 이렇게 하면 되는구나!" 하고, 바로 자발화로 이어지기도 하지만 어떤 아이들은 누구의 도움을 받아야 말하는 아이들도 있다. 누구의 도움을 받아야 말하는 아이들은 아직은 발화 단계에 머무르고 있어서 그렇다.

반향어에서도 "듣고 따라 하기 단계"가 아닌 "같이 따라 하는 단계"라서 자발이 늦어지는 경우도 있고,
듣고 따라 하거나 같이 따라 하기 둘 다 잘하는데 반향어가 심한 아이들은 말 시키는 방법이 잘못 되어서 늦어질 수도 있다.
해결 방법들은 다 있다.

나는 반향어가 너무 심하다는 고민을 갖고 오시는 분들에게 이런 질문을 한다.

말을 시킬 때 정답을 요구하는 질문을 많이 하시나요? 아니면 아이 현재 상황을 해석해서 말을 시켜주시나요?

아이에게 좋은 방법은 두 번째이다.
말을 시킬 때 정답을 요구하는 질문을 많이 하게 되면 아이 입장에서는 틀리지 않기 위해서 상대가 이야기 해줄 때까지 기다렸다가 그대로 따라 하는 경우가 발생하기도 한다.
그래서 질문보다는 아이가 하고 싶은 말을 알려줘서 따라 시키는 게 더 긍정적으로 바뀔 수 있다.

말을 안 하던 아이들이 말을 배울 때 필요한 과정 중

가장 중요한 것은
질문에 답하는 연습이 아니고,
행동이든, 눈빛이든, 말이든 서로 대화, 소통하는 연습이 필요하다.

양육자의 주저리주저리 하는 말을 듣는 연습, 소리에 반응하는 연습
아이가 필요한 상황에 대한 표현 방법을 알려주고, 아이에게 시켜보는
연습

그리고 대부분에 아이들이 필요한 것에 대해표현할 때는 짜증을 내거
나, 손을 끌고 요구를 하는 상황이 많을 것이다.
이런 상황마다 아이들이 해야 하는 말을 알려주면 자발화로 넘어가는
시간이 많이 단축될 수 있다.

그리고 말을 따라 하기 시작한다고 모두가 다 스스로 말하지는 않는다.
스스로 말을 하는 아이들은 그동안 양육자와 말로 표현하는 것을 제외한
눈빛, 행동으로 얼마만큼 대화를 잘하고 있었느냐에 따라 차이가 생긴다.
언어표현 이외에 아이와 대화, 비언어적 소통을 잘하고 있었던 아이들
은 말하는 방법만 배우면 스스로 자발화로 넘어가는 확률이 많이 높으
나, 평상시 언어표현을 제외한 대화, 비언어적 소통이 잘 이루어지지 않
았을 경우에는 부모와 아이 간의 대화하는 방법 연습이 필요하다.

부모님들에게 나는 항상 이런 말을 한다.
아이가 말을 안 하더라도, 알아듣겠거니 하고, 계속 이야기 해주시라고,
그러면 아이가 말로 표현은 안 해도 알아듣고, 행동으로라도 반응해도
잘한다고 칭찬해 주라고 말씀을 드린다.

"자발화로 넘어가는 시간을 단축하는 부분은 가장 많이 마주하게 될 양
육자의 역할이 아주 중요하다고"
아이만 성장하라 할 것이 아니라 부모도 같이 성장을 해야 한다.

아이의 답답함을
해결해 줄
방법은 없을까?

못 알아들을 것이라고 생각하지 마시라.

아이가 반응하지 않는다고,

아이가 쳐다보지 않는다고,

아이가 요구하지 않는다고,

못 알아들을 것이라고 생각하지 마시라.

어차피 못 알아들을 것인데 내가 말하면 뭘 해, 내가 이렇게 해주면 뭘 해~하고 포기하지 않으셨으면 한다.

비록 아이가 아직 말을 하지 않는다고 해도, 아이는 주변에서 일어나는 모든 것을 느끼고 이해하고 있다. 아이가 눈을 마주치지 않거나 직접 말을 하지 않는다고 해서, 부모님의 말과 행동을 모르는 것은 아니다.

다만 어떻게 표현하는 방법을 몰라서 못 하는 것일 수도 있다.

아이는 양육자의 목소리 톤, 표정, 몸짓 등을 통해 많은 것을 배우고 느끼고 있다. 부모님이 화가 나 있거나, 슬프거나, 기쁜 감정을 표현할 때, 아이는 이를 감지하고 자신만의 방식으로 반응할 것이다.

부모님이 웃으면 아이도 행복해 할 것이고, 부모님이 불안하고 슬프면 아이도 불안해하고 슬퍼할 것이다.

그래서 부모님의 긍정적이고, 아이 행동에 지지해 주며 반응해 주는 것은 아이에게 매우 중요하다. 아이가 말을 아직 잘 못해도, 부모님이 아이의 아무런 소리에도 "말 잘한다~! ~라고 이야기 한 거야~ 옳치"라고 말해준다면 아이는 기뻐하고 더 말하려고 노력할 것이다. 이런 식으로 부모가 아이의 다양한 행동들을 긍정적으로 바라보고 지지해 주면, 아이는 더 많은 것을 시도하고 배우려고 할 것이다.

그리고 아이 앞에서 "우리 애는 말을 못 해요", "우리 애는 문제가 많아요"와 같은 부정적인 이야기를 하지 않아야 한다.
부모님이 말하는 순간부터는 아이가 느끼기에 자신이 진짜 그런 아이인 줄 알게 되어 더 이상 노력하지 않게 된다. 부모님 또한 그렇게 된다.

부정적인 표현	긍정적인 표현
우리 아이는 항상 느려.	우리 아이는 천천히 배우면서 꼼꼼하게 일을 해요.
우리 아이는 이해력이 부족해.	우리 아이는 새로운 것을 배울 때 시간이 좀 더 필요해요.
우리 아이는 항상 시끄러워.	우리 아이는 에너지가 넘치고 활동적이에요.
우리 아이는 집중력이 없어.	우리 아이는 여러 가지에 관심이 많아요.
우리 아이는 너무 소심해.	우리 아이는 조심스럽고 생각이 깊어요.
우리 아이는 잘 안 웃어.	우리 아이는 신중하게 감정을 표현해요.
우리 아이는 무엇이든 늦게 시작해.	우리 아이는 자신의 속도로 발달하고 있어요.
우리 아이는 너무 예민해.	우리 아이는 감정이 풍부하고 섬세해요.
우리 아이는 항상 도움이 필요해.	우리 아이는 새로운 것을 배울 때 도움을 받아야 할 때가 있어요.

차라리 이렇게 이야기하면 좋을 것 같다.

부정적인 표현보다 긍정적인 표현을 해야 하는 이유는 아이에게도 도움이 되지만 부모인 나에게 큰 도움이 될 수 있다.

아이에 대한 표현이 긍정적으로 바뀐다면 바라보는 시선도 긍정적으로 많이 바뀌게 되어 아이를 칭찬할 것들이 많이 생길 수 있어 둘 사이에 더욱더 긍정적이고 따뜻한 관계가 형성될 것이다. 이런 관계는 아이의 성장에 큰 도움이 될 것이다.

문제로 보이는 행동들은 말이 늦어짐에 나타나는 것들이 많다.

언어발달이 지연되는 아이들은 종종 주의력 결핍, 과잉 행동, 충동성 등의 문제 행동을 보이는 경우가 많다. 이는 아이들이 언어를 통해 자신의 감정이나 욕구를 충분히 표현하지 못하기 때문에 발생하는 것으로 볼 수 있다.

언어 능력이 부족한 아이들은 자신의 감정을 적절히 조절하고 표현하는 데 어려움을 겪게 되며, 이로 인해 분노, 좌절, 불안 등의 부정적인 감정을 행동으로 표출하게 된다.

이러한 문제 행동은 아이가 언어로 의사소통하는 방법에 익숙하지 않고, 자신의 감정을 언어로 표현하는 법을 모르기 때문에 나타나는 경우가 많다.

부모님들은 종종 "우리 아이는 필요한 것을 말로 표현하기는 하지만, 화가 나면 상대방을 때리거나 심하게 짜증을 내는 등 문제 행동을 보여요."라고 말씀해주시는 경우가 있다. 이는 아이가 자신의 감정을 언어로 적절히 표현하지 못하고, 대신 공격적인 행동으로 표출하기 때문에 발생하는 것이다.

문제 행동은 아이의 입장에서는 자신의 감정을 표현하는 또 다른 방식일 수 있다. 하지만 이런 부적절한 행동은 또래 관계에서 어려움을 겪게 하고, 사회성 발달에도 부정적인 영향을 미칠 수 있다.
아이가 문제를 언어로 표현하지 못하고 행동으로 표출한다는 것은 아직 언어 발달이 완전히 이루어지지 않았음을 이야기한다.
무발화 단계에서 벗어나 자발화로 안정적으로 나아가기 위해서는 우선적으로 아이의 마음을 공감해주고, 아이가 해야하는 표현들을 부모님이 알려주고, 사용하게 도와주는 것이 좋다.
초기에는 단어 한두 개를 사용하는 등 미숙한 시도일 수 있지만, 이러한 노력을 통해 아이는 점차 언어의 필요성을 깨닫고 더 적극적으로 소통하려 할 것이다. 부모와 교사는 아이의 작은 시도도 인정해 주고 격려해 줌으로써 아이가 언어 사용에 자신감을 가질 수 있도록 도와주어야 한다.
따라서 문제 행동을 없애기 위한 노력보다는 아이에게 언어로 자신을 표현하는 방법을 가르치는 것이 더 중요하다
이를 통해 아이는 점차 자신의 감정과 욕구를 말로 표현하는 법을 배우게 될 것이며, 문제 행동은 자연스럽게 감소하게 될 것이다.

아이들의 답답함을 해결해 줄 방법이 있다.
그것은 바로 "통합적인 접근법"

통합적인 접근법 : "여러 분야의 지식을 종합하여 문제를 다각도로 바라보고 해결하는 방식"

나는 무발화 아동들에게 통합적인 접근의 중요성은 이제 알겠다.
지금부터 내가 무발화 아동들은 왜 통합적인 접근을 해야하는지, 통합적인 접근만이 무발화를 벗어 날 수 있는 방법인지, 이렇게 수업하니 아이들이 좋아 질 수 밖에 없는 이유에 대해서 통합적 접근의 중요성을 깨닫게 되는 과정을 나의 경험담으로 정리해 보겠다.

13년 전에는 말을 못하거나, 늦으면 언어 수업만이 답이라 나왔지, 무발화 수업이라는 단어가 어디에도 없었다.
나 또한 언어적인 접근만으로, 수업을 진행 하였다.

처음에 나는 단순하게 했다. 아니 그냥 행동적인면, 신경적인면, 심리적인면 무조건 아이들에게만 수정 하라고 아이들한테 내가 생각하는 정답만 제시했다. 그게 아이들을 변화 시킬수 있는 유일한 방법이라고 생각했으니 지금 당장은 아이들이 힘들어 하더라도 지금은 잠깐 참고, 성장하다 보면 시간이 지나 말만 할 수 있게 된다면 다 좋아질 것이라 생각했다.

그러다보니 발음을 어려워하는 아이들은 강하게 거부하거나 우는 아이들도 생기게 되었지만

지금은 울더라도, 강하게 거부하며 힘들어 하더라도 나중에는 변하게 되면 행복해진다고 아이들에게 내 생각을 강요했다. 부모에게도 내 생각을 강요했다.

인터넷, 서적 등 다양한 자료를 찾다보아도 내눈에 보이는 건 수업 방법에 관한 것만 보이고, 다른건 눈에 띄지 않고 문제 해결에 대한 단순한 방법만 찾고, 그게 정답인줄만 알았다. 지금 보이는 문제는 한가지로 보여도 다양한 방면으로 접근해야 한다는 사실을 이때는 몰랐다.

이때 무발화 수업의 이미지가 강하다라고 퍼지게 된지도 모르겠다.

처음에는 말하는 방법, 말하는 기술 중 발성, 발음을 중점적으로 봤었다. 발성이 안 좋은 애들은 발성을 키우는 방법들을 제시하고, 무조건 할 수 있게 만들었으며, 발음 수정 및 말 할 때 필요한 발음만 수정 해주고, 개선 해주면 알아서 말이 늘어 날 것이라고 생각했다.

발성이 좋아지고, 안되던 발음이 수정이 되었는데도 단어에서 발음이 안 잡히고, 문장에서 발음이 안 잡혔다. 아이는 어렵게라도 열심히 따라서 하려고 하는 아이였지만 발음 연습이 약해서 그런가하고 나는 또 발음을 수정하게 되었다. 이때 아이는 지적을 받는다고 생각을 했을 것이다.

아이는 점점 말하는 것에 재미를 잃어 가게 되었다.

시키면 말도 따라하게 되고, 발음도 많이 예뻐졌지만 자발은 나오지 않았다.
인지가 없어서 못하는가 싶어서 인지적인면을 엄청 반복 학습하여 밀어 넣어줬다. 카드는 잘 읽고, 질문에 대답은 잘하는데 자발이 한정적이었다. 수동적인 느낌이 컸다. 수동적인 말 따라하기만 잘하게 되고, 학습을 통한 따라하기만 중점적으로 연습하다보니 이번에는 스스로 말 하려는 욕구를 잃었다.

이번에는 아이의 마음을 조금만 읽어줘서 그런가 하고, 아이가 힘들다 하면 그만하게 되고, 싫어하는 것을 제외 하고, 좋아하는 것 위주로 수업을 해보았다.
이때 나는 아이들의 마음만 읽어주면 말이 스스로 개선되고, 발음 또한 스스로 개선 되면서 알아서 자발이 나올 것이라 믿었다.
애초에 발음을 갖고 있고, 잘 따라하고, 두 세가지 자발 표현도 갖고 있는 아이들은 효과가 있었다.
하지만 애초에 말하는 방법을 모르는 아이들은 비언적 소통도 많아지고, 수업도 재미 있어 하고, 수업에 태도도 좋았지만 말하는 방식, 말하는 기술이 없는 아이들은 비언어적 행동적인 소통만 늘게 되었다. 이 아이들은 말을 하는 기술은 늘지 않았다.

그리고 8살 이상이 된 아이들은 나이가 많아져서 이제는 못 변할 것이고, 변화에 한계가 있을 것이라고 생각했다. 아니 그렇게 믿고 싶었다. 그러면 핑계가 생기니까.

자해, 분노, 짜증, 텐트럼이 있는 아이들에게는 부정적인 행동을 하면 안 되는 이유에 대해서만 이야기하고, 행동을 조절 및 재제 하기 등 치료를 해줘야 한다는 생각만 하기 바빴다.

당시 나 앞에서는 조절이 되게 해 놓아도, 나와는 조절을 잘하지만 다른 곳에 가서는 여전히 터지게 되었다. 이 때 아이는 나, 강한 사람 앞에서만 분노를 누르고 있었던 것이었다.

나 앞에서만 일시적으로 해결 된 것 처럼 보여 진것이지 진짜 해결은 하지 못하였던 것이다.

분노 하는 것을 잘못된 것이라 여기고 행동 자체를 못하게 하고, 힘으로 제재하고 것, 무섭게 혼내는 것은 아이에게 제시 할 수 있는 진짜 해결 방법이 아니었던 것이다.

나이가 많거나 아이가 발음이 어눌하거나 인지가 확인이 안되거나 과잉 행동 조절이 안되거나 하는 것은 말하는 기술, 심리, 행동, 언어 표현, 행동 표현, 인지 등 이런 것 모두가 같이 골고루 좋아져야 말, 표현, 소통, 스스로 하는 자발어와 스스로 행동 조절과 같은 변화가 생긴다는 것을 깨닫게 되었다.

이와 같은 경험을 바탕으로 알게 된 사실들을 적용하여 통합적으로 접근을 하다보니 아이들마다 다른 우선 순위가 존재한다는 사실도 알게 되었다.

발음이 어눌해도 뭐라도 표현 하려고 하는 아이라면
표현 방법 호흡을 먼저 끌어내준다면 표현하는 재미가 생겨 발음은 알아서 좋아진다는 사실을 알게 되었다.

인지가 없어보이거나, 확인이 안되는 아이들은 인지가 없다고, 확인이 안된다고, 확인이 될 때까지 반복하여 학습을 하지 않고, 그냥 알겠거니 생각하고, 아이의 모든 것을 인정 해주고, 표현 해주니 믿음의 결과물들이 하나 하나가 쌓여 아이는 스스로 그동안 알고 있었던 것들을 나에게 보여준다는 사실을 알게 되었다.

자해, 분노, 짜증 등 안되는 이유에 대해서 이야기하고, 행동조절, 재제하기 전에 아이가 이렇게나 강하게 표현하는 이유? 아니 아이가 힘들어서 어찌할바를 몰라 하게 되는 표현? 아이에 그 힘듬, 이렇게 밖에 표현할 수 없는, 아이가 진짜 나에게 하고 싶은 말 그것 자체만을 공감 해주고, 해결 방법을 제시, 제안해주니 아이는 스스로 조절할 수 있게 되는 사실을 알게 되었다.

나이가 많아서 안된다는 생각보다 아이가 성장하는 긴 시간동안 불편했던 순간, 이렇게 할 수 밖에 없었던 순간들 하나 하나 개선해주니 느리지만 조금씩 변하게 되었다. 나이가 많아서 안된다고 생각 했던것 보다 경험에 의해서 알고 있는 것 또한 또 다른 장점들이 많이 있다는 사실을 알게 되었다.

이 모든 것은 원인에 집중 하여 아이에게도, 나에게도 한계를 두지 않고, 통합적으로 접근 하다보니 얻게 된 사실들이다.

어떤 불편함이든 문제든 해결 방법을 제시하기 전 가장 먼저 선행 되어야 하는 것은 아이의 현재 모습, 왜 이런 행동을 하는지에 대해 다양한 측면으로 고민 해보며, 모든 가능성을 열어 놓고, 아이를 마주해야한다.

아이의 내면에 이야기에 공감 해야 한다는 사실도 놓쳐서는 안된다.

아이를 이해 하고 공감을 하게 되면 진짜 문제의 원인이 보이게 되고, 그 원인, 오해를 하나하나 수정해 나가다보면 분명히 많은 문제가 해결이 된다.

**우리 그냥 최선만 다하지 말고, 아이가 진짜 원하는 것에
최선을 다해주자.**

나도 아이의 부모다.
우리는 부모로서 아이를 위해 최선을 다한다고 생각하지만, 사실 아이가 정말 원하는 게 뭔지 잘 모를 때가 많다.

아이가 어떻게 하면 좋을지 우리 마음대로 정해버리고, 아이 마음은 제대로 살피지 않은 채 우리 뜻대로 이끌어가려고 한다. 특히 아이 행동이 마음에 안 들 때는 이런 모습이 더욱 두드러진다. 겉으로 보이는 행동만 보고 재제하거나, 혼내기 바쁘지, 왜 그러는지에 대해서는 미처 생각할 여유가 없다.

하지만 지금부터라도 행동의 이면에 숨겨진 아이의 마음을 헤아려보려는 노력이 필요하다. 우리 아이는 지금 무엇을 원하는 걸까, 왜 이런 행동을 보이는 걸까 깊이 고민해보자.

혼자서 해결이 어려울 때는 전문가의 도움을 받는 것도 좋다. 하지만 모든 것을 맡기진 말자. 대신 우리 아이를 더 잘 알고 아이랑 소통하는 법을 배우겠다는 자세로 임하자. 상담을 통해 내가 할 수 있는 방법을 찾고 실천해보자.

아이 겉으로 드러난 행동 말고, 그 속에 감춰진 마음까지 알아채려 애쓸 때, 비로소 우리는 진정한 의미에서 아이를 위해 최선을 다하는 부모가 될 수 있을 것이다.

이제부터는
자폐라서
그렇다고 단정짓지 말자.

아이가 원하는 놀이는 무엇일까?

아이들에게 놀이란 단순한 활동 그 이상의 의미를 가진다. 놀이를 통해 아이들은 새로운 것을 경험하게 되고, 사회성을 기르며, 정서적 안정을 얻는다. 그렇다면 과연 아이들이 원하는 진정한 놀이란 무엇일까?

아이들이 가장 좋아하는 놀이는 바로 부모나 친구들과 함께 공감하고 소통하는 놀이다. 놀이 속에서 아이들은 자신이 하는 활동에 대해 반응받기를 원한다. 어려움에 부딪혔을 때는 말과 행동으로 도움받기를 바란다. 아이들은 울거나 짜증을 내거나 포기하는 등의 방식으로 자신의 감정을 표현한다. 이는 매우 자연스러운 과정이다.

사실 30개월이전 놀이에는 분명한 정답이나 목적이 없어도 된다. 아이를 특정한 방향으로 이끌기보다 스스로 재미와 기쁨을 찾아갈 수 있도록 자유를 주며 강요보다는 제안 및 지원하는 형태로 접근하는 것이 더 좋은 방법이 될 것이다. 비록 지금은 서툴지라도 놀이에 대한 애착이 깊어질수록 아이들은 더 큰 즐거움을 느끼게 될 것이며 즐거움이 생기면

비교적 더 쉽게 다른 놀이를 받아들일 것이다.

하지만 요즘 많은 부모들이 놀이를 인지 발달의 도구로만 바라보는 경향이 있다. 놀이를 통해 아이의 발달을 촉진하려 하다 보니 자연스레 놀이에 개입하고 주도하게 되는 경우가 많다.

부모는 아이의 놀이에 보조자가 되어야지 리더가 되어서는 안된다. 지시하기보다는 함께 공감하고 소통하는 것, 그것이 바로 아이가 원하는 놀이의 모습이다. 바로 그 속에서 아이들은 자신만의 재미와 긍정적인 감정을 발견해 나갈 것이다.

치료의 완성은 부모도 변하는 것이다.

수업을 받게 되면 아이들은 분명 조금씩 성장하고, 있을 것이다.
부모인 나도 같이 성장하여야 한다.
나의 어떤 부분이 아이의 성장에
부정적인 영향이
있었다라고 한다면
아이에게 보여주는 표정을 바꿀 수 있고, 말투 등
여러 가지 등을 바꿔 줄 필요가 있다.
아이가 좋아할 것이기에
선생님 앞에서 수업할 때는 잘하는데
집에 오면 안 한다는 사례 대부분은 부모님 또한
성장이 필요할 때이다.

치료실에만 의존하기보다 교사들에게 또는 우리 아이에 대해서 잘 아는
분에게 계속해서 질문을 해보면서 문제를 보완해 나가는 방법을 추천해
드린다.

우리 아이한테 잘 맞는 사람을 찾아야한다.

우리 아이한테 맞는 사람은 어떤 사람일까?

학위가 높은 사람일까?

경험이 많은 사람일까?

나이가 많은 사람일까?

배려가 많은 선생님일까?

단호한 선생님일까?

다 좋으신 분들은 맞다. 하지만 우리 아이한테 가장 맞는 사람은

첫째 : 아이가 수업하는 동안 즐거워하고,

둘째 : 아이가 수업에 오고 싶어 하고 또는 교사를 만나고 싶어 하고,

셋째 : 아이의 어려운 부분을 잘 찾아서 채워주는 아이와 궁합이 잘 맞는 그런 사람이다.

여기서 의문이 드는 분도 있을 것이다.

"선생님 우리 아이는 부드러운 사람한테는 수업이 안돼요. 하던 것도 안 해요. 단호한 사람한테만 수업이 잘 되는데요?"

그럴 수 있다.
아이의 현재 상황에 따라 필요한 선생님은 달라진다.
때로는 단호한 사람이 아이에게 좋은 선생님이 될 수도 있고, 부드러운 사람이 좋은 선생님이 될 수도 있다.
하지만 단호하면서도 따뜻한 사람이 있을 수 있지 않은가? 내가 여기서 드리고 싶은 이야기는 가능하면 이런, 사람이면 아이가 더 행복해하며, 발전할 수 있을 것이라는 거다. 주변에 찾아봐라. 분명히 있을 것이다.

선생님들에게도 강점과 약점이 존재한다.
그리고, 선생님마다 자신만의 특별한 방법들을 가지고 있다. 또한 아이들과 어떻게 하면 더 잘 어울릴 수 있을까를 노력하고 연구한다. 예를 들어, 어떤 선생님은 놀이를 통해 아이들과 쉽게 친해지고, 또 다른 선생님은 이야기를 들려주며 아이들의 마음을 열 수 있다.

아이가 선생님과 얼마나 편안하게 지내는지는, 선생님과 함께할 때 웃고 즐거워하는지를 보면, 그들 사이에 좋은 관계가 형성되고 있음을 알 수 있다. 아이가 선생님과 함께 있을 때 행복해 보인다면, 그것이 바로 아이에게 잘 맞는 선생님을 찾았다는 뜻이다.

이렇게 아이와 선생님 사이에 좋은 관계가 형성되면, 아이는 치료 과정에서 더 많은 것을 배우고 성장할 수 있다. 따라서, 선생님의 기술이나 경험도 중요하지만, 아이가 그 선생님과 얼마나 잘 어울리는지가 더 중요하다.

내가 생각하는 선생님을 선택하는 순위

내가 생각하는 교사를 선택하는 순위는 아래와 같다. 지극히 개인적인 생각이니 참고만 하셨으면 한다.

1순위
- 아이가 수업할 때 너무 재미있어한다.
- 수업에 가고 싶어한다.
- 선생님을 너무 좋아한다.
- 아이가 변화가 있다. Best
- 상담 또한 좋다.
- 상담에 부모가 할 수 있는 방법을 많이 이야기 해준다.
- 나의 부정적인 시선을 긍정적으로 해석해준다.

2순위
- 아이가 수업할 때 그냥 그렇다.
- 하지만 아이가 변화가 있다.

- 수업은 가고 싶어한다.
- 상담은 좋다.
- 나는 선생님이 별로인데 아이는 좋아한다.

3순위
- 아이가 수업할 때 울고, 힘들어 하지만 변화가 있다.
- 상담은 나쁘지 않다.
- 교사한테는 하는데 부모인 나한테는 보여주지 않는다.

4순위 (여기서 부터는 선택사항이다)
- 아이가 수업할 때 너무 재미있어한다.
- 수업에 가고 싶어한다.
- 하지만 아이의 변화가 가뭄에 콩나듯이다.

5순위(교사 변경을 추천한다)
- 모든 문제를 아이가 부족해서 그렇다는 식으로 이야기를 한다.
- 아이가 1년째 아무런 변화가 없다. 교사의 피드백 또한 그렇다.
- 모든 문제를 부모가 숙제를 안해서 그렇다는식으로 이야기하는데 본인 또한 아이에게 별 다른 자극을 주지 못하는 것 같다.

내가 생각하는 말의 발달 단계

1. 울음: 생후 초기부터 아이들은 울음으로 소통을 시작합니다. 울음은 배고픔, 피곤함, 불편함 등의 기본적인 필요를 표현하는 방법입니다.

2. 울음의 길이와 다양성: 아이들은 시간이 지남에 따라 울음의 길이와 다양성을 조절하기 시작하고, 다른 울음 소리로 서로 다른 필요나 감정을 나타냅니다.

3. 옹알이: 몇 개월이 지나면 아이들은 옹알이를 시작합니다. 이는 아이들이 소리와 언어의 기본 요소를 탐색하는 단계로, 의미 있는 언어로의 전환을 준비하는 과정입니다.

4. 반응성 소리 내기: 아이들은 옹알이를 시작한 후, 반응성 소리 내기 단계로 넘어갑니다. 이때 아이들은 양육자의 말소리나 얼굴 표정에 반응하여 소리를 낼 수 있습니다. 이는 의사소통의 초기 형태로, 아이들이 대화의 기본 개념을 이해하기 시작하는 단계입니다.

5. 모방과 음성 놀이: 이 단계에서 아이들은 주변 사람들의 말소리를 모방하기 시작합니다. 그들은 다양한 음성과 억양을 실험하며, 자

신만의 소리를 만들어냅니다. 이는 음률을 발달시키는 중요한 과정입니다.

6. 첫 음절 반복: 아이들은 간단한 음절을 반복하여 발음하기 시작합니다. 예를 들어, "바바", "마마"와 같은 소리를 낼 수 있습니다. 이 단계는 단어 형성의 기초가 되며, 아이들이 언어의 리듬과 구조를 이해하기 시작하는 시기입니다.

7. 음률: 아이들은 음률을 사용하여 감정을 표현하기 시작합니다. 이 단계에서는 언어의 리듬과 음조가 더 발달하며, 아이들은 말하는 사람의 억양을 모방하기 시작합니다.

8. 발음 정확도 개선: 아이들은 음률 단계에서 더 정확한 발음을 시도하기 시작합니다. 이는 단어를 형성하기 위한 기초가 되며, 아이들이 언어의 기본적인 소리를 연습하고 마스터하는 과정입니다.

9. 모음과 자음 조합: 아이들은 모음과 자음을 조합하여 간단한 음절을 만들어냅니다. 이 단계에서 아이들은 다양한 소리 조합을 실험하며, 이를 통해 단어 형성의 기본을 이해합니다.

10. 단일 음절 이해: 이 단계에서 아이들은 단일 음절의 의미를 이해하기 시작합니다. 예를 들어, "엄마", "아빠"와 같은 기본적인 단어들을 인식하고, 이 단어들과 관련된 사람이나 대상을 인지할 수 있습니다.

11. 음절 조합: 아이들은 두 음절 이상을 조합하여 발음하는 것을 시도합니다. 이 단계에서는 단어의 리듬과 구조를 더 복잡하게 만들며, 의미 있는 단어 형성에 가까워집니다.

12. 첫 단어로의 이행: 발음적인 연습을 통해 아이들은 첫 단어를 형성하고 사용하기 시작합니다. 이 단계에서 아이들은 단순한 음절을 넘어서 의미 있는 단어를 구사하기 시작합니다.

13. 모방을 통한 발음 연습: 아이들은 주변 사람들의 말을 듣고 모방함으로써 발음을 연습합니다. 이 모방 과정에서 아이들은 다양한 발음을 시도하고, 언어의 리듬과 음조를 배웁니다.

14. 의도적 단어 사용: 아이들은 자신의 요구나 감정을 표현하기 위해 의도적으로 단어를 사용하기 시작합니다. 이는 의사소통의 목적으로 언어를 사용하는 초기 단계입니다.

15. 단어 내에서의 음절 조합: 아이들은 두 음절 이상을 조합하여 더 복잡한 단어를 만들어냅니다. 이는 언어의 다양한 구조를 이해하고 사용하는 능력이 발달하는 시기입니다.

16. 단어: 보통 1세 전후로 아이들은 첫 단어를 말하기 시작합니다. 이 단계에서 아이들은 단어를 통해 사물, 사람, 행동 등을 구체적으로 지칭합니다.

17. 단어의 의미 연결: 아이들은 특정 단어가 특정 대상이나 행동과 연결되어 있다는 것을 이해합니다. 예를 들어, "물"이라는 단어가 물이라는 대상과 연결되어 있다는 것을 인식합니다.

18. 단어의 확장 사용: 아이들은 단어를 사용하여 더 다양한 상황과 대상을 표현하기 시작합니다. 이 단계에서 아이들은 언어를 더 유연하게 사용하며, 어휘력이 확장됩니다.

19. 문장: 2세가 되면서 아이들은 단어를 조합하여 간단한 문장을 만들기 시작합니다. 이 단계에서는 언어를 통한 더 복잡한 의사소통이 가능해지며, 아이들은 자신의 생각과 필요를 더 명확하게 표현할 수 있게 됩니다.

생각해 보자.
나는 우리 아이가 무엇을 잘하는지 얼마나 알고 있을까?

아이가 잘하는 것 10가지만 적어보세요.

1.

2.

3.

4.

5.

6.

7.

8.

9.

10.

칭찬을 적는데 한참 걸렸다면 아이에게 칭찬이 인색하실 수도 있겠다.
칭찬힙시다. 표현합시다. 사랑합시나. 우리 사랑스러운 남편 와이프, 우리 아가 우리의 행복을 위해

방법을 알려드리겠다.
아이의 모든 행위를 칭찬합시다.
그저 우리가 보는 모든 것을 설명해 주고
반응해 주는게 좋은 칭찬이다.

우리 00 오늘도 잘 놀고 있었네~
젤리도 잘 먹네~
밥도 잘 먹네~
빙글빙글 잘 도네~우와~ 잘한다~
엄청 잘 뛰네~최고다~ 아빠도 뛰어야지~
차례차례 줄도 잘 세우네~이것도 세워볼래?
아빠도 보고 싶었지? 고마워~ 등과 같이 아이가 반응 하지 않아도 된다.
그냥 하시라. 대신 진심으로 하시라. 아이가 어차피 반응하지 않을꺼야라고 의심도 하지 마시라.
진심으로 칭찬하다 보면 아이가 반응하게 될 것이다.

팁. 아이가 쳐다보지도 않는데, 뒤통수에 대고 칭찬하지 말고, 아이가 느낄 수 있게 가벼운 스킨쉽을 더해주고 마주 보며 해주시라.

책을 덮기 전 꼭 전해 드리고 싶은 말

제가 말하는게 100%정답이라고는 생각하지않습니다.
세상에 완벽한 것은 없다고 생각합니다.

하지만 제가 안내드린 긍정적인 해석으로 인해
그 동안 아이의 미워 보였던 또는 정리 안되는
걱정들이 조금은 정리가 되었으면 합니다.

이 책을 읽고 나서,
우리 아이가 오죽하면 저런 행동을 하고 있을까?하고
아이의 문제들을 아이 스스로 해결할 수 없는 어려움으로 봐주고, 아이
입장으로 먼저 생각 해보는게 생기기 시작했다면
아이 문제 해결에 있어 50%는 해결 했다고 봅니다.

부모님이 긍정적으로 바뀌기 시작했으니
아이도 긍정적으로 바뀔 것이라 믿어 의심치 않습니다.

모든 부모님들 화이팅입니다. 할 수 있습니다.

#다루고 싶은 내용들이 너무나 많았으나 책으로 다 전달 드리지 못하였습니다.
앞으로는 네이버 블로그 / Youtube를 통해서 뵙겠습니다. 감사합니다.

네이버 블로그 :

https://m.blog.naver.com/heart2hearts_one

Youtube 채널 :
마음마주 (@Heart2Hearts_One)

카카오 채널 :
친구 추가 하기 (@heart2hearts)